WANT DIT IS MIJN LICHAAM

Dit Boekenweekgeschenk wordt u aangeboden door uw boekverkoper.

Renate Dorrestein

WANT DIT IS MIJN LICHAAM

Een uitgave van de
Stichting Collectieve Propaganda
van het Nederlandse Boek
ter gelegenheid van de Boekenweek 1997

Want dit is mijn lichaam werd door Uitgeverij Contact geproduceerd voor de Stichting Collectieve Propaganda van het Nederlandse Boek ter gelegenheid van de Boekenweek 1997.

Omslagillustratie Ien van Laanen
Omslagontwerp Mónica Waalwijk de Carvalho, Amsterdam
Typografie Jenny van Achteren
Zetwerk v.o.f. Stand By, Nieuwegein
Druk- en bindwerk Koninklijke Wöhrmann, Zutphen
Dit boek is gedrukt op 100% chloorvrij geproduceerd papier

ISBN 90 74336 32 9 / CIP / NUGI 300

APRIL

De ongewone warmte van de afgelopen weken had zich zwaar en massief in huis opgehoopt. Zelfs de jonge poezen, anders zo tuk op kattenkwaad, lagen bewegingloos in de margarinedoos in de keuken, met perplexe, kogelronde ogen om zich heen kijkend. Aan het bordje in de gootsteen zag Maria dat haar vader al had ontbeten, en ze zette de radio aan terwijl ze koffie voor zichzelf maakte. Dolly Parton zong over haar eenzame nachten.

Nadat ze een boterham had gegeten, wijdde Maria zich ongehaast aan de klusjes van alledag. Ze betaalde een paar rekeningen, een karweitje dat haar altijd het plezierige gevoel bezorgde actief deel te nemen aan de geheimzinnige bewegingen van de economie. Ze knipte een 06-nummer dat ze nog niet kende uit de krant. Daarna ging ze naar buiten om haar tomatenplanten te verspenen.

'Maria!' riep haar vader op dat moment van achter uit de grote, verwilderde tuin. 'Ik wacht op je!'

'Ik kom er aan,' riep ze terug.

Bespikkeld met zonnevlekjes stond hij achter zijn ezel onder de knoestige appelboom die al jaren geen vrucht meer droeg. Hij was blootsvoets en zijn overhemd was tot ver voorbij zijn borst opengeknoopt. Ooit was dat hemd blauw geweest, stevig diepblauw denim, maar het weefsel was inmiddels kleurloos en flodderig van ouderdom. Zijn spierwitte haar ging schuil onder een rieten hoed die zo versleten was dat het zonlicht dwars door de rand op zijn gezicht viel. Hij was niet een man die gemakkelijk afstand van iets deed.

Ook het schilderij waaraan hij nu werkte, zou Maria weer met de grootste moeite uit zijn handen krijgen; ze zou in het geheim een paar collectioneurs en galeriehouders moeten bellen en hun de bekende instructies geven: quasi-toevallig langskomen, nergens naar vragen, niet al te gretig lijken, niets forceren.

Het was maar een vluchtige gedachte, het kon immers nog maanden duren voordat het zover was, en terwijl ze zich in het gras liet zakken concentreerde ze zich snel op haar pose. Ze lag half op haar buik, half op haar zij, steunend op haar rechterarm, haar ene been onder zich getrokken, het andere uitgestrekt, als een kind dat leert kruipen. Ze droeg een jurk van een onbestemde kleur groen, haar koolsoepjurk, en haar haar was in een slordige knot opgebonden. De warmte maakte dat ze zich log en lomp voelde. Het was pas eind april, en nu al een hittegolf.

'Hoe laat pauzeren we om wat te drinken?' vroeg ze.

Job antwoordde niet. Hij voltooide een penseelstreek, hief zijn hand, liet die zakken, wierp zijn hoofd achterover en bestudeerde haar lange tijd met een kritische uitdrukking op zijn benige gezicht. Zijn blik gaf haar niet alleen het gevoel dat ze bestond, maar zelfs dat ze van belang was. Ze was zijn levenswerk.

'Kan dat been iets gestrekter?' vroeg hij ten slotte.

Maria bewoog zich een fractie.

'Naar links, bedoel ik.'

'Dat gaat niet,' zei ze.

'Wel als je je heup draait.'

Ze draaide haar heup.

Zonder verder commentaar hervatte hij zijn werk.

Als vanaf grote afstand zag ze zichzelf liggen: een toevallige hoop ledematen, naar zijn willekeur gerangschikt. Dat ben ik, dacht ze met een schok, of nee, het is mijn lichaam maar. Ze stelde zich stippellijnen rond haar gewrichten voor, en pijltjes die naar haar knieën en polsen wezen: hier omvouwen. Net als op de kartonnen bouwplaten die ze lang geleden als klein meisje had gehad. Job had ze vast wel bewaard.

'Heeft Cas vanochtend eigenlijk nog gebeld?' vroeg hij.

'Nee. Maar waarom zou hij?'

'Omdat ik hem al drie dagen niet heb gesproken.'

Zachtzinnig zei Maria: 'Hij heeft zijn eigen leven.'

'Hij komt net kijken,' zei haar vader resoluut. De buitenissige temperatuur leek geen vat op hem te hebben. Nog voordat zij op was, was hij 's ochtends al bezig met de yogaoefeningen waarmee hij was begonnen toen hij zeventig werd en tot zijn verontwaardiging last van stijve spieren kreeg. Daarna trok hij zich terug in zijn atelier achter het huis, waar hij uren zat te denken, te plannen, te verbeteren. Dan sleepte hij zijn kist en zijn ezel naar de tuin, op het heetst van de dag, als Maria's vingers van het handvat van haar kruk glipten van het zweten.

Ze probeerde haar heup, die hinderlijk op een pol onkruid drukte, onmerkbaar wat te verplaatsen. Ze ademde zo langzaam mogelijk. Als je ging puffen, kreeg je het alleen maar benauwder. Volgens de nieuwsberichten overwogen diverse waterschappen in het land al rantsoeneringsmaatregelen. De boeren zouden niet meer mogen sproeien, de bevolking was verzocht korter te douchen. De toestand van de wereld, vonden sommige commentatoren, was ten gevolge van de heersende klimatologische veranderingen zo alarmerend, dat de vraag of er een God bestond steeds nijpender werd. Anders was de mens immers verantwoordelijk voor dit debacle.

Haar vader had smalend gelachen toen ze laatst op een avond die bewering in een radioprogramma hadden gehoord. 'Hebben we eindelijk eens een behoorlijk voorjaar, is het weer niet goed. Zet dat gezemel uit,' had hij gezegd. Nooit vroeg hij wat zij wilde, waar zij zin in zou hebben, wat haar bezielde of bezighield. Het was een hele kunst om met hem samen te wonen.

Maria schrok op uit haar halve gesoes toen er een vette bromvlieg op haar pols neerstreek. Als je niet oplette, was het soms ineens twee of drie uur later, soms zelfs twee of drie jaar later. Totdat je op een dag in het gras lag en je zomaar, zonder aanwijsbare reden, plotseling werd verpletterd door het besef dat je vijfenveertig was. Een vrouw van de onbestemde categorie die middelbare leeftijd heet.

'Je concentreert je niet,' zei haar vader. 'Kin omhoog.'

'Sorry.'

Achter zijn compacte silhouet rees het huis op waarin zij was opgegroeid en waarin ze later haar zoon had grootgebracht. Het was een oud houten huis, laag, langgerekt en met een plat dak. Het was in geen jaren geschilderd en had geleidelijk een vermoeide tint grijs aangenomen. Nog nooit eerder was het haar opgevallen dat het precies de kleur was van het gezicht van een langdurig bedlegerige, nooit eerder hadden de afgebladderde kozijnen haar doen denken aan de brosse nagels van een dode. Maar nu kwamen zelfs de geraniums op de vensterbanken en de clematis die in een oliedrum bij de keukendeur stond, haar kleurloos voor. Alle tekortkomingen sprongen haar in het oog: in de goten krulde het zink, het kapotte raampje van de wc was met poetslappen gevuld om de tocht te weren, de deurklink hing erbij als een gebroken arm. Bovenal echter leek het hele huis, van nok tot dorpel, kurkdroog, beenderdor, zo droog als as, alsof alle levenssappen het hadden verlaten. Zo levenloos als een lichaam dat nooit werd geliefkoosd.

Abrupt legde haar vader zijn kwasten neer. Hij sloeg zijn kist dicht en zei: 'Je maakt er vandaag een potje van. Zo kom ik geen steek verder. Ga liever maar vast wat aan het eten doen. Felicity komt vanavond.'

'Alweer?' vroeg ze scherp.

Job Olson en zijn dochter Maria, wier beeltenis in musea over de gehele wereld hing, woonden aan de ringvaart die een Noord-Hollandse polder omsloot, in een gehucht dat Oude Brug heette en dat uit drie kilometer lintbebouwing langs de dijk bestond. Aan de overkant van het water waren de contouren van stedelijke agglomeratie zichtbaar: flatgebouwen, een nieuwbouwwijk, een industrieterrein. Op die betonnen skyline keken de Olsons en de buren uit, maar aan hun zijde van de vaart was er geen sprake van enige stedenbouwkundige planning. Oude Brug was, door welk toeval dan ook, ontsnapt aan de tekentafels van de omliggende gemeenten, het was een rommelige verzameling dijkwoningen, oud-ijzerhandels, volkstuintjes, een paar boerderijen en een enkel onbewoonbaar verklaard krot. In de berm aan de waterkant, die rijk was aan klaprozen en fluitenkruid, lagen vergeten bouwmaterialen onder zeildoek, overtollig huisraad, een kapotte wasmachine. Op nummer 43 kon je tweedehands spijkerbroeken en gestolen gereedschap kopen.

In Oude Brug bestond geen regelgeving, geen overheid: Oude Brug, zei Job Olson graag, was van God, gebod en gezag verlaten. Als je bijvoorbeeld liefhebberij in vissen had, dan timmerde je gewoon, recht voor je voordeur, van wat afvalhout een foeilelijk steigertje, en geen schoonheidscommissie kwam het controleren. Zijn eigen steiger lag al decennia te rotten, zei hij voldaan, met een pezige arm wijzend naar de restanten van het vlondertje in de brede vaart. Niemand die hem daarvoor een aanmaning of milieuheffing kwam presenteren. Vrijheid! zei Job, op een toon die getuigde van een diepe minachting voor de rest van de wereld, die zich zo gemakkelijk een oor liet aannaaien door parkeerwachters, belastinginspecteurs en steigertoezichthouders.

Hij vertelde er nooit bij dat hij, op de kop af zesendertig jaar geleden, voor het laatst op die steiger had gezeten nadat hij zijn vrouw had begraven. Vissend zonder aas, rokend zonder zijn sigaret aan te steken, had hij de hele middag naar het water gestaard. Fles whisky erbij.

De zon was die avond pas tegen zevenen zeer rood en fraai ondergegaan. Om hem heen hadden de geluiden van een milde voorjaarsavond geklonken, het uitbundige baltsen van de merels, het bijna waarneembare zuchten van de scilla's en narcissen die zich uit de nog winterse bodem omhoog persten ten teken dat het leven voortging, of Job Olson daar na de dood van zijn vrouw nu om vroeg of niet. Een peilloze walging jegens de hele schepping had hem overeind gejaagd, binnensmonds tierend. Hij zwaaide op zijn benen van woede en van de drank.

Onder de gammele houten vlonder waarop hij stond, glinsterde het water. Het zat barstensvol blankvoorn. Je hoefde je hengel maar uit te gooien. Je vrouw kon er als het ware met de pan bij komen staan. Claudia had de visjes altijd op zijn Italiaans gebakken, in de olie, met veel knoflook. Malse jonge brandnetels erbij, molsla, of iets anders uit de berm. En altijd een kan met wilde kamille op tafel, of een bloeiende prunustak die in het donker bij de buren was geroofd, of een drijfschaal met uit de vaart geplukte dotters. Voor Claudia geen dag zonder bloemen. Ze was nog erger dan een hommel, schold hij altijd, zichzelf in stilte verwensend omdat hij zich niet eens een bos rozen voor haar kon veroorloven.

Claudia op haar brede blote voeten in de tuin of aan de waterkant, met opgeschorte rokken, bukkend, plukkend. Dat onbeschrijflijke, onvergelijkelijke stel benen van haar, eerder pront dan mooi, gewoon een wijf met poten onder haar kont die haar schraagden, geen slap gedoe. Aardse benen, waar je je leven om zou verwedden. En uitgerekend die vrouw moest de moeder zijn van een kind met een manke poot?

Hij zette de fles opnieuw aan zijn mond. Voor zijn geestesoog rees Maria's beeld op. De geconcentreerde manier waarop zij sneeuwklokjes had geplukt voor op haar moeders graf. En pas op dat moment drong tot hem door dat hij zijn dochtertje na de begrafenis alleen in huis had achtergelaten. Hij bukte zich. Onder hem leek de steiger te golven. Vloeken voor zich uit knetterend greep hij zijn hengel, brak die met een droge knap over zijn knie doormidden en wierp de stukken in het water. Hij had een negenjarig kind dat overal zijn hulp bij nodig had, en er was voortaan, hoe hij ook raasde en schold, niemand anders meer die een oogje op haar zou houden.

In een verschoten, te krappe jurk had Maria 's ochtends zonder een woord te zeggen bij het gat gestaan waarin haar moeder voor altijd zou verdwijnen. Ze hield een blauw speelgoedkonijn tegen haar borst gedrukt, en uit haar knuistje stak het tuiltje sneeuwklokjes. Het was nog vroeg, en tamelijk kil in de tuin; hij had haar een vestje moeten aantrekken. Zelf zweette hij van het graven. De aarde leek zich niet te willen openen, ze was doorschoten met taaie wortels die zelfs voor zijn bijlslagen maar moeizaam weken.

Pas tegen het middaguur leek de kuil hem diep genoeg. Toen hij er met raspende adem uit klom, stond Maria nog steeds zwijgend toe te kijken, fragiel en verloren tussen de hopen opgeworpen grond. Tranen hadden bleke sporen over haar groezelige wangen getrokken. Haar donkere haar hing in ongekamde klissen op haar schouders, het was in geen weken gewassen, er waren te veel andere zaken geweest die voorgingen, kopjes bouillon, braakpartijen, ijskompressen tegen de koorts. Hij wist niet eens zeker wanneer zijn dochter voor het laatst had gegeten. Vaag herinnerde hij zich een boterham met komkommer.

'Zullen we mama gaan halen?' vroeg hij schor.

Met neergeslagen ogen schudde ze het hoofd, terwijl ze luidruchtig haar neus ophaalde.

Hij had haar vannacht anders donders goed uitgelegd dat er geen vóór en na de dood bestond, hij had het continuüm van tijd en ruimte in duidelijke bewoordingen met haar doorgenomen. Hij had nooit geloofd dat je kinderen als achterlijke idioten moest behandelen, daar werden het kwezels en sufferds van. Hij had haar zelf de plaats laten uitkiezen waar ze haar moeder zouden begraven. Voor haar had hij zijn rug gebroken op die wortels.

Toen hij met Claudia in haar knalrode nachthemd in zijn armen weer naar buiten kwam, week Maria achteruit. Hij zag hoe sterk ze naar links helde, ze hing helemaal scheef op haar kruk, die Claudia ooit in felle Cobrakleuren had beschilderd. Tijdens de nachtmerrie van de laatste maand moest ze zijn gegroeid, ze had een nieuwe kruk nodig. Hij onderdrukte de neiging te vloeken, maar het was al gebeurd, hij was al in de ban van het leven dat voor hem lag. Onder zijn voeten voelde hij de wanden van de kuil afbrokkelen terwijl hij er met zijn vrouw in afdaalde. Hij legde haar lichaam neer in de aarde. Voor jou, mijn liefste, mijn enige, geen koffie met cake in een aula, geen schijnheilige kraaien. Dit is wat ik je heb beloofd, kome wat kome als de bureaucraten er lucht van krijgen.

Maar zijn ergernis en ongeduld waren al te groot. Was de hele kwestie van de dood niet dat men niet meer leefde en nergens meer aanspraak op kon maken?

Terwijl hij naar de spade reikte zag hij in een flits de matte glans van Claudia's witte botten voor zich, de tere, ovale waaier van haar ribbenkast. Hij begon de aarde terug te scheppen. Het zweet droop in zijn ogen. Telkens als hij het met de rug van zijn hand wegveegde, ontwaarde hij, als door een met glycerine besmeurde lens, op een afstandje zijn schriele dochter, met die sjofele jurk die een aanfluiting was, met dat verschrompelde been dat een aanfluiting was, met die beugel en die klompschoen. Ze hield het vervilte konijn tegen haar wang. Haar lippen bewogen alsof ze gebeden zei. Maar niemand had haar gevraagd te bidden. Daar kon Job Olson voor instaan. Hij werkte door, razend om dat steelse gesmiespel van haar.

Mijn vader schept aarde over mijn moeder. Ik zie alleen nog maar haar gezicht en haar ene arm. Straks krijgt ze zand in haar mond en in haar ogen. Als ze wakker wordt, zal ze mij niet kunnen roepen: ze zal aarde in haar keel hebben, met dikke vette wurmen erin, met pissebedden en torren. Mijn vader is bezig ervoor te zorgen dat mama mij nooit meer zal roepen.

'Zou je niet eens helpen?' snauwde hij.

Maria wendde haar starende blik van het graf af en keek hem uitdrukkingsloos aan. Toen smeet ze met een gebaar vol verachting de gekneusde sneeuwklokjes voor zijn voeten op de grond en draaide zich om met die schonkige beweging die hij zo goed kende. Over het lange tuinpad hompelde ze, onzeker en doelbewust tegelijk, naar de keukendeur, die ze met een klap achter zich dichttrok.

'Mij best!' schreeuwde hij haar na. 'Dan doe ik het wel alleen!' Haat en bewondering deden hem naar adem snakken.

Het kostte hem nog zeker anderhalf uur om het graf te dichten en de aarde aan te stampen. Een rozenhaag had Claudia erop willen hebben. Gele theerozen. 'Je hoeft ze alleen maar af en toe te snoeien,' had ze gezegd, 'en met bemesting heb je verder geen gedoe.'

Hij dacht dat Maria op haar kamer zou zitten pruilen, maar hij vond haar aan de keukentafel, met de grote doos CARAN D'ACHE-potloden en haar schetsboek voor zich.

Zwijgend waste hij zijn gezicht en zijn handen bij de gootsteen. Hij kon geen handdoek vinden en gebruikte een slip van zijn overhemd. Hij probeerde te bevatten wat hij zojuist had gedaan: Claudia begraven. Met zijn blote handen.

Om houvast ging hij bij zijn dochter staan. Ze keek over haar schouder naar hem op. Als om hem gerust te stellen kneep ze haar ogen even samen, dag papa, en boog zich toen weer over haar tekening. Hij zag blauwe wolken, met goud omrand, en gevleugelde gedaanten. 'Wat maak je nou?' vroeg hij vol ongeloof.

Onverstoorbaar koos Maria met zorg een nieuw potlood, zette de punt op papier, aarzelde, week een centimer naar rechts, en nam toen een andere kleur. De hemel: dat moest meteen goed zijn, dat kon je maar één keer doen.

'Felicity, het spijt me,' zei Maria 's avonds met enig leedvermaak tegen de jonge minnares van haar vader, 'maar dat gedroogde zeewier waar je het laatst over had, dat kon ik hier in de buurt nergens krijgen. Dus heb ik maar een rabarbertaart gebakken.'

'Toch wel met BD-ingrediënten, hè?' zei Felicity, terwijl ze haar pony uit haar ogen schudde. Ze droeg het halflange inktzwarte haar in een paardenstaart, met dik, rood elastiek omwonden.

'De kraaien hebben in ieder geval volop op die rabarber gescheten,' zei Maria. 'Er is geen kunstmest aan te pas gekomen.' Ze lachte even, niet precies wetend waarom.

Ze zaten samen in de keuken, waar het minstens dertig graden was. Felicity droeg een shirtje met dunne schouderbandjes en een soort wielrennersbroekje, Maria had nog steeds haar koolsoepjurk aan. Ze dronken ijskoude pepermuntthee.

'Van mij mag het altijd dit weer blijven,' verklaarde Felicity. 'Wat heerlijk toch dat jullie de hele dag buiten werken. Zijn jullie vandaag opgeschoten met *Maria's wereld*?'

In plaats van te antwoorden veegde Maria een paar kruimels van de tafel. Het was een ongehoorde inbreuk op haar privacy dat haar vader een doek in wording aan zijn nieuwste aanwinst had laten zien, er met haar over had gepraat, misschien zelfs haar oordeel serieus had genomen. Alsof de *Maria's* niet al sinds jaar en dag zonder Felicity tot stand waren gekomen.

'Ik begrijp die titel trouwens niet. En die pose die hij je laat aannemen! Je moet niet zo over je laten lopen, Maria.' Felicity zette haar theeglas neer en bestudeerde Maria enkele momenten met een serieus gezicht. 'Zat je haar de hele dag zo?'

'Ja,' zei Maria, 'hij wil een knot.'

'Hij is er niet bepaald op uit om je te flatteren. Moet ik eens met hem praten?'

'Hij is in andere dingen geïnteresseerd dan in een mooi plaatje.' Maria stond op, pakte een vergiet en begon, met het ietwat verwarde gevoel dat Felicity haar telkens wist te bezorgen, een krop sla te wassen.

'Ik zal hem eens goed de les lezen,' zei Felicity terwijl ze opsprong en naar het aanrecht kwam. 'En laat mij die sla maar even doen.'

'Blijf zitten,' waarschuwde Maria scherp. Dat gebedel ook altijd om bij haar in een goed blaadje te komen. God weet hoeveel ingezonden brieven er al naar *Viva* waren gestuurd met een wanhopig verzoek om advies. *Ik had haar dochter kunnen zijn, maar nu word ik haar stiefmoeder*. De jeugd nam zichzelf zo serieus. De felicity's leken nooit te beseffen hoe hoog hun omloopsnelheid was, hoe inwisselbaar ze voor Job Olson waren. 'Je kunt wel een paar tomaten voor me snijden,' zei ze toen; ze had nu eenmaal de neiging mededogen te voelen voor alles wat zwakker was dan zijzelf. 'Zoek maar even een mes.'

Felicity begon heen en weer te drentelen, hier en daar een voorwerp aanrakend. Ofschoon het ruime, met zonneschermen verduisterde vertrek voorzien was van alle geëigende apparatuur, had het verder weinig kenmerken van een reguliere keuken. Maria's orchideeën stonden er op lange tafels onder bedauwd glas, over een afgedankte schildersezel hing wasgoed te wachten op de strijkbout, en in de vensterbanken daalde het stof neer op stillevens die bestonden uit steenharde citroenen en uitgeputte batterijen.

Maar bovenal was de keuken het depot van de voorwerpen die Job bij postorderbedrijven kocht of waarvoor werd geadverteerd in de tijdschriften die hij bij de kapper of de tandarts inkeek. Hij bezat een apparaat dat comfort voor de gehele schedel beloofde, uitgerust met pulserende hamertjes die de bloedtoevoer stimuleerden waardoor haaruitval werd tegengegaan. Hij had een bloeddrukmeter die instant-inzicht verschafte in zijn conditie, en een Minimax, een draagbaar trainingsapparaat waarop meer dan veertig verschillende oefeningen konden worden gedaan.

Hij had altijd een zwak voor de nieuwste snufjes gehad. Vroeger waren het pneumatische kurkentrekkers geweest, en sleutelringen die bliepten als je ernaar floot. Ze lagen vast nog wel ergens. Kortgeleden was Maria de waterpick ook nog tegengekomen, achter het schilderij dat tegen een vervuilde plint leunde. Het was een recente *Maria*: ze was slapend afgebeeld, haar hoofd voorovergezakt, met een poes tegen haar borst gedrukt. Haar grove gezicht met de vlezige wangen en de te grote neus werd omlijst door loshangend haar waarin het eerste grijs zichtbaar werd.

Job schilderde haar al sinds ze negen was. Er was geen geld voor een model geweest, en het had bovendien een oppas uitgespaard als ze bij hem in het atelier zat. Van de opbrengst van de eerste *Maria* hadden ze samen een koelkast gekocht, die toen nog een frigidaire heette en die waarschijnlijk de eerste in heel Oude Brug was geweest. Nu brachten de *Maria's* prijzen op die je niet eens meer hardop durfde uit te spreken.

'Wil je dat ik roosjes van die tomaten steek?' vroeg Felicity.

'Nou, graag.'

Schouder aan schouder stonden ze bij het aanrecht. Felicity rook naar gezond, jong zweet. Onder haar van levenslust glanzende huid was elke soepele, goedgetrainde spier te zien. Je kon ze een voor een aanwijzen en traceren welke functie ze hadden in het samenspel van katrollen van vlees en bloed, van hefbomen en raderen van bindweefsel dat Felicity in beweging hield. Alles aan Felicity deed het. Ze gaf les op een fitnesscentrum. Als je haar daarover hoorde praten, zou je gaan geloven dat je zelf eigenlijk ook dagelijks minstens een uur moest offeren op knarsende hometrainers, roeimachines of steps, gelijk men vroeger in de kerk een offer bracht aan God. Of misschien deed een enkele zonderling dat nog steeds, in Spakenburg of in de Alblasserwaard. Waar ze van die oude koppen en uitgewoonde lijven hadden, zei Felicity. Die lui konden een voorbeeld nemen aan haar klandizie. Het was gewoon een kwestie van motivatie, van stretchen en weightliften: je had het allemaal zelf in de hand.

'Ga jij nou maar vast naar Job,' zei Maria, ineens vol wrok.

Felicity legde haar mes neer naast de twee roosjes van tomaat waaraan ze haar beste krachten had gewijd. Ze keek als een kind dat de schoolbel hoort luiden. Ze stak haar handen onder de kraan en vroeg: 'We hebben wel tofunaise in huis hè, om de sla mee aan te maken?'

'Ja hoor,' zei Maria. 'Dat hebben we.'

Felicity wierp haar een onzekere blik toe, terwijl ze de pijpen van haar dwaze broekje wat naar beneden trok. 'Weet je, ik waardeer het echt dat jij me altijd het gevoel geeft dat ik hier welkom ben.'

'Ik moet de soep nog afmaken. Je kent Job: als we niet om zeven uur eten, vloeit er bloed. Kalmeer jij hem even voor mij.'

'Doe ik,' zei Felicity. Ze sprintte de keuken uit.

Maria mengde de ingrediënten voor de sla in een grote kom. Ze maakte een sausje van geitenkwark en dille.

Het was niet haar boosaardige opzet Felicity voedsel voor te zetten waarin tegen alle nadrukkelijke verzoeken in dierlijke eiwitten waren verwerkt. Het was gewoon al gebeurd voordat ze er erg in had, net zoals ze vaak 's avonds laat in bed 06-nummers draaide en mannen die op geile praatjes uit waren, met haar zachte stem een beeld voortoverde van een volmaakt, willig lichaam.

Ze haalde de soeppan uit de koelkast en zette hem op een laag pitje. Ze had een mooie bouillon getrokken uit een mals stuk runderschenkel.

Onder de oude appelboom zaten ze aan weerskanten van Job aan tafel. Op het verweerde houten blad stonden kommen soep, een grote salade en een nog warme rabarbertaart. Felicity bedacht dat ze Maria misschien eens een plezier kon doen met een paar mooie placemats. Ze proefde van de soep. 'O, wat hemels,' zei ze warm. 'Hoe heb je die zo pittig gekregen?'

'Is er geen wijn?' vroeg Job aan zijn dochter. 'Je bent de wijn vergeten.'

'Je drinkt te veel,' zei Felicity. 'Ik heb Maria gezegd dat ze je geen alcohol meer mag geven.'

'Maria,' zei Job, 'sinds wanneer trek jij je iets aan van die snotneus?'

'Pas op,' zei Felicity. Ze zette haar elleboog op tafel, balde haar vuist en liet haar biceps zwellen.

Job lachte bulderend. 'Het leven is kort,' zei hij toen. 'Komt die wijn nou nog?'

Vinnig gaf ze hem een tikje op zijn pols. 'Jij bent van jullie tweeën nota bene degene met de gezonde benen.'

'Maar daar heb ik de hele middag op gestaan. Zij heeft alleen maar in het gras gelegen.'

'O, onuitstaanbare tiran,' verzuchtte ze. Ze stond op

en begaf zich met grote stappen naar de keuken, erop gebrand het Maria gemakkelijk te maken. Pas toen ze onder het aanrecht een bestofte fles rode wijn had gevonden, herinnerde ze zich dat ze Job juist van de drank had willen afhouden. Zo ging het nu altijd: op een of andere manier had hij zijn zin weer gekregen, de bullebak. Een genie kon toch ook best een aardig mens zijn?

Geërgerd ging ze op zoek naar de kurkentrekker. Maar al binnen twee minuten, van haar minnaar gescheiden en alleen in de keuken, voelde ze het ontbreken van zijn overrompelende nabijheid als een fysiek gemis, als een knagende sensatie van onvolledigheid. Als een amputatie, die alleen hij ongedaan kon maken. Ze dacht: ik wil hem – ik moet hem – ik moet hem hebben – voor altijd – voor mij alleen – helemaal voor mezelf. Geschrokken van haar eigen emoties liet ze zich neer op de barkruk die Maria gebruikte als ze kookte of afwaste. Ze kon Job niet met anderen delen, ze moest hem helemaal bezitten, het kon niet anders, het moest eenvoudig, omdat gevoelens die zo hevig en absoluut waren, nu eenmaal vervuld behoorden te worden. Wat Job en zij hadden, was niet banaal of laag-bij-de-gronds, niet iets om je schouders over op te halen, het was anders, het was uniek. Andere mensen zagen het ook, zelfs Maria, want waarom zou die anders altijd zo aardig voor haar zijn?

Felicity stond op en zocht in de wanordelijke kasten naar de kurkentrekker. Ze voelde zich opgeladen en tot alles in staat.

Job, zeiden haar vriendinnen soms, was op een gevaarlijk moment in haar leven gekomen: op de dag na haar dertigste verjaardag, toen ze slecht uitgeslapen naar haar werk was gegaan en zich voor het eerst amper door haar zware lesuren had kunnen heen slepen. Het had haar doen beseffen dat er een ogenblik zou komen waarop haar lichaam haar in de steek zou laten. Paniek sloeg toe. Ze was immers niet zomaar een verzameling spieren en botten, ze was haar eigen creatie, haar lichaam was haar grootste prestatie; meedogenloos, taai en geduldig had ze het aan haar wilskracht weten te onderwerpen en het naar haar ideaal herschapen; bij de gedachte dat het in verval zou raken, verdween de bodem onder haar bestaan, hoe koel en rationeel ze het ook trachtte te bekijken.

Job had haar, zou je kunnen zeggen, opnieuw gedefinieerd: hij had haar lichaam een nieuwe functie gegeven, het bestond nu louter voor hem en door hem. Door zijn aanraking was ze pas echt tot leven gewekt: ze was van hem, op een onherroepelijke, definitieve manier, precies zoals ze haar leven lang gedacht had dat het ooit zou gaan. Daarom begreep ze ook niet waarom hij haar niet allang eens had geportretteerd.

'Zie ik eruit als een bleke kluns die portretten maakt?' had hij verontwaardigd gereageerd. 'Draag ik soms een alpinopet?'

'En Maria dan?'

Hij had *Maria met jonge poes* van de muur getrokken en er vol walging naar gekeken. 'Een portret? Godbewaarme, mens, dit is een stemming, een staat van zijn.'

'Het lijkt anders sprekend.'

'Allicht. Hier, moet je die wangpartij zien. Die Beethovenkop van haar. Die formidabele nek. Dat hele landschap van Maria. Zij is de vleesgeworden droom van elke schilder.'

Maar met het loepzuivere, aan helderziendheid grenzende inzicht dat door verliefdheid wordt veroorzaakt, vermoedde Felicity, die Job Olson na krap vier maanden uiteraard heel wat beter kende dan hij zichzelf in zeventig jaar had doorgrond, dat hier niet de schilder sprak maar de liefhebbende vader. Niemand zou immers vrijwillig zo'n model kiezen. Zonder Job zou Maria een onbetekenende invalide zijn geweest, een zielig geval van kinderverlamming, maar dankzij hem was zij het beroemdste gezicht sedert de Mona Lisa.

'Heb je nooit eens behoefte aan wat afwisseling, aan een ander model bijvoorbeeld?' had ze gevraagd.

Hij had haar bijna geschokt aangekeken. Alleen door de *Maria's* onophoudelijk verder uit te diepen zou hij ooit het uiterste van zijn kunnen bereiken, zei hij. Ergens in al die doeken zat het oerschilderij verborgen waarnaar hij streefde: de kale, meedogenloze essentie van zijn oeuvre. Hij wilde maar één ding, en dat was die kern verlossen uit alle bestaande lagen tempera. 'Als ik tenminste tijd van leven heb,' zei hij, en zijn mond vertrok even.

In een keukenlade vol uitgeknipte krantenadvertenties vond Felicity eindelijk de kurkentrekker. Ze maakte de wijn open. Nu nog glazen. En een kan water. Zij zou Job fit en gezond houden, hem zelfs revitaliseren. Een mens was net zo oud als hij zich voelde, en Job was nog jong genoeg om aan iets nieuws te beginnen. Ook in zijn werk.

Job greep Felicity's afwezigheid aan om, achterovergeleund aan tafel, een sigaretje te draaien. Het hing, al snel steeds natter wordend, vastgeplakt in zijn mondhoek, het kleefde aan zijn lippen als een natuurlijk verlengstuk ervan, een goor cilindertje dat zijn ademhaling zichtbaar maakte, of sterker nog, als een buitengaats orgaan dat zijn ademhaling mogelijk maakte. Hij had het eigenaardige vermogen dode voorwerpen van leven te bezielen.

'Misschien moet je wat minder roken,' zei Maria, elke zweem van spot vermijdend. 'Nu je zo in de ban bent van het gezonde leven, bedoel ik.'

'Ik neem die antioxidanten toch in?'

'Inderdaad,' zei Maria. Het ontbrak haar vader nooit aan de lust bepaalde dingen te doen, het ontbrak hem alleen maar aan zin andere te laten.

'We beginnen morgen helemaal opnieuw met *Maria's wereld*,' zei hij plotseling. Haast kwaadaardig keek hij haar aan. 'We veranderen het perspectief. En geen gelamstraal meer onder het poseren.'

Overdreven gedwee antwoordde ze: 'Ja, vader. Goed, vader.' Hij leek echter niets ongewoons aan haar toon te bespeuren, en ze begon de lege soepkommen in elkaar te stapelen. Hij was nog maar een paar weken aan dit nieuwe doek bezig en hij zou onvoorspelbaar en humeurig zijn totdat hij zijn vorm had gevonden.

'Verwachten we Cas een dezer dagen?' vroeg hij, zijn as aftikkend op de rand van zijn bord.

'Hoezo? Heb je hem ergens voor nodig? O hemel. Sandra is van de week jarig, geloof ik.'

'De vrouw van je zoon heet Xandra,' verbeterde hij geamuseerd.

Ze plukte aan de halsopening van haar jurk, trok de stof van haar bezwete lichaam en blies zich koelte toe. 'Zullen we straks even bij ze langswippen? Dan kan ik haar uithoren over een cadeau.'

'Ik heb vanavond zelf een gast,' zei haar vader. Hij klonk bijzonder zelfingenomen.

Ze sloeg de ogen neer. Moest ze hem niet eens waarschuwen dat zo'n spannend spierbundeltje in een wielrennersbroekje hem net zomin jong zou houden als die verzameling rariteiten die hij in de keuken had opgeslagen, push-braces, een Power Walk Plus en Chien-

Pu-Wan-pillen voor soepele spieren en gewrichten? In plaats daarvan vroeg ze: 'Wat zei je nou net over Cas? Moet je iets van hem?'

'Hij moet me bij gelegenheid even helpen een nieuw deksel voor de put te maken. Ik ruik de bron weer.'

De zwavelbron achter op het erf van de Olsons was een ongewoon natuurlijk fenomeen dat al sedert de achttiende eeuw door talloze deskundigen was bestudeerd en gedocumenteerd. Zwavelhoudend water komt niet vaak voor in de Nederlandse bodem, en zoiets is interessant voor mannen met een wetenschappelijke graad, een paar goede laarzen en ambities. Job had een hele bibliotheek aangelegd van hun bevindingen, en bracht die graag ter sprake als hij ongewenste bezoekers had. Stond er elders niet geschreven, vroeg hij zich dan hardop af, wijzend naar het goorwitte bezinksel rond de put, dat verschijnselen waarvoor geen verklaring bestond, het werk van de duivel moesten zijn?

Voordat iemand een lacherige tegenwerping kon maken hief hij een waarschuwende hand en snoof diep, zodat ook zijn gasten plotseling gewaarwerden dat de geur van sulfer dwars door het deksel van de put sijpelde. Hij kon redelijk denkende volwassenen het gevoel bezorgen dat de Olsons bij de monding van de hel woonden en dat niemand verbaasd moest zijn als de Prins der Duisternis opeens op het erf zou opdoemen, beschubd en bekorst met zwavelkristallen.

Onder de appelboom sperde Maria haar neusgaten open, maar het enige dat zij rook, waren de magnolia's verderop op de dijk, te zoet haast, te zwoel. 'Laten we Cas morgen maar even bellen,' zei ze ten slotte. Meteen schoot Xandra's verjaardag weer door haar heen. Gelukkig dat ze er nog net op tijd aan had gedacht. Ze kon het in Cas' ogen toch al nooit goed doen. Een vertrouwd gevoel van beklemming nam bezit van haar.

'Best,' zei haar vader. Hij maakte zijn sigaret uit. Toen schraapte hij omstandig zijn keel. 'Wat ik je nog wou zeggen...' Hij trommelde met zijn vingers op de tafel om aandacht. Het waren lange, spatelvormige vingers, bespikkeld met ouderdomsvlekjes. 'Het is dit keer menens. Met Fee, bedoel ik.'

'Is het heus?'

'Jij hebt er recht op te weten dat ik serieuze plannen met haar heb.'

'O. En hoe bedoel je dat precies?'

'Ik ga met haar trouwen,' zei haar vader. 'Ik wilde haar vanavond vragen. Dus misschien kun jij zo discreet zijn om...' Hij maakte een gebaar van ophoepelen.

'Maar,' begon Maria onthutst, 'hoe...'

'Ha, daar is ze met de wijn.'

Met glazen in de ene hand en de fles in de andere kwam Felicity het pad afgelopen. Ze ademde diep in toen ze de border met gele theerozen passeerde, die nu al bloeiden, veel te vroeg. Die onaardse geur! Maar ineens verstrakte ze en ze vertraagde haar pas. Met net zulke rozen had Jobs eerste vrouw voor het stadhuis gestaan, dat wist ze dankzij de foto die ze laatst toevallig in de keuken had gevonden, een vergeeld kiekje met verkruimelde randen: Job en de vereerde Claudia samen op het bordes, elkaar weinig plechtstatig toelachend.

Hij had een heel leven vóór haar gehad, zijn bestaan was niet bij haar begonnen, en hoe kon het ook anders. Toch had ze zich bij de aanblik van die foto ontdaan gevoeld, in iets dieps en eigens aangetast, en ze wilde dat ze Claudia's beeltenis niet had gezien, want nu zou ze haar niet meer kunnen vergeten. Voortdurend zou ze die sensuele mond en die ogen vol opwindende beloften voor zich zien en beseffen dat er een jonge Job was geweest met een geschiedenis waaraan zij geen deel had gehad, zodat ze ook niet wist hoe ze die zou kunnen overtreffen.

Zenuwachtig en verhit kwam ze naderbij, en zag toen ineens Maria's gezicht, de ogen als in verbijstering opengesperd. 'Stoor ik?' stamelde ze.

'Welnee, we hadden het alleen maar over die stinkende zwavelput,' zei Job. Hij sloeg een arm om haar middel en ontfutselde haar met zijn andere hand de fles.

'O, zwavel,' zei ze. 'Zwavel is verschrikkelijk gezond. Wist je dat? Die bron van jullie is het antwoord op de vraag naar de eeuwige jeugd.'

'Allemachtig,' zei hij vermaakt, 'ik had het zelf kunnen bedenken. Laat zoiets maar aan de duivel over.'

Voor haar tweeëntwintigste verjaardag deed Casper Olson zijn vrouw Xandra een nieuwe neus cadeau. Je hoorde tegenwoordig vaak dat mannen in verwarring waren over wat er van hen werd verwacht, maar Cas was een geboren vervuller van hartenwensen. Kwestie van opletten, inschatten, en dan handelen.

Zelf was hij natuurlijk al de vervulling van Xandra's voornaamste hartenwens: hij was vier jaar ouder dan zij, acht centimeter langer en anderhalf keer zo goed in squash. Maar hun beider motto was: ALTIJD MEER. Dat had zijn moeder tenminste eens misprijzend gezegd. Voor jullie is het nooit genoeg.

Het kaartje waarop de afspraak met de plastisch chirurg genoteerd stond, had hij de avond tevoren al zorgvuldig in matglanzend goudpapier verpakt en er een karmozijnrode camelia op geplakt. De steel, die in het kleurenschema detoneerde, had hij zo kort mogelijk afgeknipt.

's Ochtends vroeg, na het joggen, haalde hij het pakje te voorschijn van achter de eclairs en zalmforellen in de diepvriezer. De camelia had zich perfect gehouden, precies zoals de bloemist had gezegd. Bepoedersuikerd met ijskristallen was het geschenk er alleen maar mooier op geworden.

Licht als een veertje begaf hij zich naar het beukenhouten kookeiland en zette de oven aan. Hij maakte twee dampende espresso's klaar. Hij bakte een paar croissantjes af. Bang dat de camelia zou verflensen, want hij wantrouwde de natuur, greep hij snel een dienblad, stalde het ontbijt erop uit en ging ermee naar de slaapkamer.

Tien voor zeven. Alle tijd.

Met de croissants en de espresso's ging hij op de rand van het bed naast zijn slapende vrouw zitten. Bij iedere diepe, rustige ademhaling van Xandra was het hem te moede alsof hijzelf helium binnenkreeg en als een grote, glimmende ballon naar het plafond zou opstijgen. Blijdschap en trots leken met lichte plofjes uit al zijn poriën te ontsnappen.

Ze wisten sedert elf dagen dat Xandra zwanger was.

Diep in de holten van haar warme lichaam waren cellen bezig zich te delen en te vermenigvuldigen: een beetje van Cas, een beetje van Xandra, wat van zijn talenten en wat van de hare, zijn ogen en haar mond, of andersom, dat moest je nu eenmaal afwachten. Maar honderd procent zeker een jongen, dat had de genderkliniek bij aanvang van de peperdure behandeling gegarandeerd. Daarna een meisje, was hun plan, en dan nieuwe borsten voor Xandra en voor de kids een blonde labrador. Of een Afghaanse windhond. Dat stond nog niet vast.

Cool down, Cas, zei hij tegen zichzelf terwijl hij alvast een slok van zijn koffie nam. Het was nu eenmaal zijn aard om elk vraagstuk meteen systematisch te lijf te willen en in losse onderdelen op te breken. In nullen en enen, om precies te zijn. Hij was thuis in hits en sites en homepages, blobs en bandwidths. Hij werkte voor een van de grootste Internet-providers van het land en daar was hij, zoals zijn baas het noemde, onze up-and-coming man. Up, up, above and beyond: dat was Casper Olson. Het bleef hem verbazen en verheugen dat er zo over hem werd gesproken.

Hij zette het ontbijt neer op het sexy zwarte tapijt en liep naar het raam. Als hij Xandra nu niet wakker maakte, kwam hij te laat op zijn werk. En zij trouwens ook, en dan zouden twaalf aankomende kleurenconsulentes een halve cursusochtend missen. Met zijn hand al aan het gordijn keek hij over zijn schouder nog even naar zijn vrouw. Haar blonde haar lag wijd over het kussen uitgewaaierd. Zij combineerde haar haarkleur nooit met de geijkte pasteltinten, maar kleedde zich uitsluitend in natuurlijke off-colours: zand, helmgras, kiezel. Haar accessoires koos ze voornamelijk in heide en honing. Hun zoon zou haar fabelachtige smaak en zijn analytische brein hebben: hij zou industrieel vormgever kunnen worden, of iets anders in design.

Maar het belangrijkste was dat hij een vader zou hebben, een bekende vader, een aanwezige vader.

Hij opende het gordijn. Het beloofde opnieuw een schitterende dag te worden. Zonlicht weerkaatste op het water waaraan hun bungalow was gelegen. Aan de overkant woonden zijn moeder en grootvader.

'Hé stuk,' zei zijn vrouw slaperig.

Hij draaide zich lachend om. 'Happy birthday.'

Ze kwam overeind, haar wangen nog rood van de slaap. Ze knipperde met haar ogen, ineens klaarwakker.

'O ja, dat is waar ook. Nou, kom op dan. Niet zo teuten, Cas!'

'Laat me je oude neus nog even kussen, nu het nog kan,' zei hij terwijl hij haar naar zich toe trok.

Ze maakte zich los uit zijn omhelzing en keek hem hoopvol aan. 'Wat bedoel je?'

Hij haalde het pakje te voorschijn. Haar gezicht begon te glanzen toen ze het kaartje uitpakte. Een nieuwe neus leek hem niet strikt noodzakelijk, maar ze had haar zinnen er nu eenmaal op gezet: een fractie langer en smaller dan de huidige. Wat hij in haar bewonderde, was dat ze altijd precies wist wat ze wilde. Ze was fan-fucking-tastic doelgericht. Hij had van haar geleerd dat je kon zijn wie en wat je maar wilde.

'Sensationeel,' zei ze opgetogen.

'Je kunt er dinsdag al terecht. Hier is je koffie.'

'Ik denk dat ik... hé, Cas, blijf van die croissants af.'

'Ik wou er een voor je smeren.'

Ze strekte haar hand uit en hij overhandigde haar het broodje. Het water liep hem in de mond toen ze haar tanden erin zette.

'Kijk niet zo,' zei Xandra. 'Alsof je me iedere hap misgunt.'

'Jij hebt makkelijk praten,' zei hij. Een lange dag zonder voedsel strekte zich weer voor hem uit, en er zouden er nog honderden volgen, duizenden, als het aan Xandra lag. Hij ademde diep in en projecteerde op de zalmkleurige muur tegenover het bed een beeld van zichzelf als zeer magere man.

'Ga nou niet meteen mokken. Er zijn wel ergere dingen. En je wilt er toch niet bij lopen als een varken?'

'Nee,' beaamde hij met een zucht. Hij zag de goudbruine karbonades weer voor zich die zijn moeder vroeger bakte, haar sappige saucijsjes op een berg van aardappelpuree, en hij dacht: seks is vast gemakkelijker te missen dan eten.

'Je mag vanavond zeshonderd calorieën,' zei Xandra bemoedigend.

Hij stond op. Hij liep naar de badkamer, zich pijnlijk bewust van zijn billen. Aan de wastafel dronk hij achter elkaar drie glazen lauw water. Wanneer, op welk moment van de geschiedenis, had de man zijn geluk uit handen gegeven? Meteen al toen Eva in de appel beet en Adam met het klokhuis werd afgescheept. Vanaf dat ogenblik was het één grote samenzwering geweest: vrouwen bepaalden wat je at, en hoeveel.

Hij draaide de douchekraan open en liet zich door het hete water geselen. Zijn moeder had hem als kind vetgemest en een veelvraat van hem gemaakt, met haar pannenkoeken en puddingen. Volgepropt had ze hem, een onverzadigbare schrokop van hem gemaakt, alsof ze door hem te overvoeren het gemis van een vader had willen compenseren. In haar naar spekvet ruikende keuken had niets hem erop voorbereid dat het in de echte wereld draaide om fysieke perfectie. Daar was hij pas achter gekomen toen hij naar school ging.

'Leren lezen, Cas,' had zij onbezorgd gezegd, 'dat zul je leuk vinden.' Zijn grootvader had hem weggebracht, achter op de fiets. Zelfs in de wind rook hij nog naar kleuren, naar rauwe omber en helder aquamarijn. Hij wist hoe je papierdunne muizenschedels moest bewaren en dat je eerst op de aangestampte sneeuw piste als je een iglo wilde bouwen. Eigenlijk wist hij alles. Op het schoolplein had hij Cas wel vier dikke zoenen gegeven, en een reep chocola 'van je mama'.

Het was een zonnige, winderige nazomerdag. Je kon je niet voorstellen dat je ooit niet gelukkig zou zijn.

Er bleek een meisje bij hem in de klas te zitten met

brillenglazen als flessenbodems: Ada Schopman. Als je haar in de ogen probeerde te zien, kreeg je het gevoel door een dikke ijslaag naar twee trage vissen te turen die op een modderige rivierbodem lagen te overwinteren. Al op de eerste schooldag werd die bril door de andere kinderen afgerukt en buiten Ada's bereik gehouden. Joelend keken ze toe toen de vissen aan weerskanten van haar neus naar elkaar toe zwommen en zij met uitgestrekte handen om zich heen tastte, terwijl ze met radeloze uithalen huilde.

De onderwijzeres zette dikke Cas en haar meteen naast elkaar: de twee rariteiten van haar klas geïsoleerd van de rest. De tweelingzusjes Vinkema, die met hun knappe smoeltjes en spijkerdunne elfenlijfjes op de eerste rij zaten, beweerden dat speknekken besmettelijk waren, en dat wie vetzak Olson aanraakte, zelf ook in een oliebol op pootjes zou veranderen; voor een kwartje verkochten zij tien druppels van een speciaal anti-Casmiddel, dat zij in een limonadefles met zich meedroegen.

Soms werd hij in het speelkwartier omsingeld en naar het fietsenhok gebracht, waar hem onder dreigende aansporingen van alle kanten tegelijk stapels muffe boterhammen en uitgedroogde koeken werden opgedrongen: 'Vooruit dan, Billie Turf, je houdt er toch zo van?' Ze waren pas tevreden als hij kotste, hun ogen kierend van de pret, hun wrede, slappe monden openhangend.

Na de zomervakantie bleek zijn bondgenote hem te zijn ontvallen: Ada Schopman was zonder bril op school teruggekomen. Haar oogspieren waren door de dokter langer gemaakt, vertelde ze bedeesd, en iedereen zei o en ah, en de nieuwe juffrouw zette haar in de eerste rij naast de engelachtige Vinkemaatjes met hun blonde vlechten. Soms wierp ze Cas over haar schouder een onverschrokken blik toe die leek te zeggen: laat dan ook iets aan je vreetspieren doen, joh.

Hij zette de douche uit, greep een handdoek en droogde zich af. Je had tegenwoordig van die maagverkleinende operaties. Hij moest realistisch zijn: hij was in zijn vak weliswaar een up-and-coming man, maar hij was al zesentwintig, en het stierf out there van de achttienjarige whizzkids met harde lijven en knappe smoelen die graag zijn plaats zouden willen innemen. Hij moest ze vóór zien te blijven. Niets was zo ondynamisch als overgewicht. Xandra had gelijk.

Hij trof haar in de keuken, waar ze bezig was het vlees voor de barbecue uit de diepvriezer te halen. 'Weet jij of je moeder en Job vanavond ook komen?' vroeg ze.

'Ja, allicht,' zei Cas, opkikkerend bij het vooruitzicht zijn beroemde grootvader aan kennissen en collega's te kunnen voorstellen.

'Als jij tussen de middag de drank ophaalt, dan zorg ik voor de salades en het ijs.' Ze keek hem onderzoekend aan. 'Zou je die das nou wel bij dat overhemd dragen?'

'Niet goed?' Onzeker bevoelde hij de strop.

Ze hield haar hoofd schuin en lachte vergoelijkend. Haar kleine, hagelwitte en kaarsrechte tanden zagen eruit alsof ze stuk voor stuk met de hand waren vervaardigd. Het was niet zozeer een gebit als wel een verzameling perfecte ivoren objecten, met zorg bijeengegaard en zo aantrekkelijk mogelijk uitgestald. Cadeau gekregen had zij haar glimlach niet: binnenbeugels, buitenbeugels, activators en ijzeren slotjes met elastiekjes eraan hadden haar tanden en kiezen, die oorspronkelijk als kruiend ijs schots en scheef in haar mond stonden, gedurende lange jaren millimeter voor millimeter in haar onwillige kaken verplaatst. Geen tand zo astrant of hij was recht te zetten: geen foutje van moeder Natuur of het viel te verbeteren.

'Ouwe knolraap van me,' zei ze, zijn das lostrekkend, 'zelfs je moeder zou zien dat bij dit shirt geen das hoort.'

'Dat zegt genoeg,' zei Cas met een huivering.

AUGUSTUS

Op een zomermiddag, het was windstil en eenendertig graden Celsius in de schaduw, zag Maria onder het poseren ineens hoeveel afgevallen blad er in het gras lag. Verbaasd liet ze haar blik door de tuin dwalen. Knokig en knorrig, als was het midwinter, strekte de oude appelboom zijn kale takken uit naar de wolkeloze hemel.

'Moet je nou zien,' zei ze tegen haar vader. 'Onze boom lijkt wel dood. Kijk maar naar hoe de...'

'Maria,' zei hij zonder enige stemverheffing, 'ik vraag je niet om je opinies, ik vraag alleen maar om je aanwezigheid.' Maar het klonk mat, alsof hij louter uit macht der gewoonte foeterde.

Het was ook zo heet. Maandenlang volgden de zinderende dagen elkaar nu al zonder onderbreking op, als doffe, onheilspellende paukenslagen, en al die tijd was er geen druppel neerslag gevallen. Campings en stranden waren midden in de vakantie vrijwel leeg, mensen trokken er allang niet meer op uit, verveeld als ze waren met de strakblauwe lucht en het schelle licht. Iedereen was zwartgeblakerd, afgemat en geïrriteerd. Volgens de krantenberichten had een man in Zutphen een serveerster op een terras bewusteloos geslagen omdat hij geen ijs in zijn Seven-Up had gekregen. Omstanders hadden hem overweldigd, anders had hij haar misschien wel doodgeschopt.

Door de onbarmhartige temperatuur had Maria voortdurend last van haar been, het stak en prikte, en 's nachts in bed leek het haar alsof er een zwerm bijen in haar knie huisde. Ze was kortaangebonden wanneer ze in het klamme duister haar telefoongesprekken voerde. Mannen vroegen haar, tussen snelle ademstoten door, hoe ze erbij lag en wat ze aanhad, en ze moest op haar lippen bijten om niet nijdig te repliceren: 'Wat denk je?' Haar plezier in de ranzige telefoontjes was bijna geheel verdwenen. Ze betrapte zich op de gedachte dat er aan een cryptogram waarschijnlijk evenveel te beleven zou zijn, en toen voelde ze zich saai en aftands. Bestolen, ook.

God, wat hang ik mezelf de keel uit, dacht ze bitter.

Misschien had ze gewoon te weinig om handen nu Felicity het huishouden grotendeels op zich had genomen. De klusjes die haar tijd altijd zo vanzelfsprekend hadden opgeëist, werden nu door Felicity geklaard, snel, grondig en praktisch. Je hoefde maar aan tafel te gaan zitten, en de maaltijden werden dampend en wel voor je neus gezet, terwijl Felicity kletserig uitleg gaf: tofoeburgers, seitanballetjes, linzensticks. Met elke dag drie soorten verse groenten erbij, in verschillende schalen.

Ook de schone lakens verschenen tegenwoordig vanzelf op haar bed, en in de badkamer werden de handdoeken dagelijks vervangen. Misschien zou ze zelfs haar schoenen gepoetst terugvinden als ze die 's avonds op de gang zette, net zoals toen in Florence, in dat hotel met die knipmessende gerant, wiens van pommade glimmende hoofd haar aan een koolmees had doen denken. Job had hun beider schoenen elke dag buitengezet, ondanks haar protesten. Ze had zich destijds, op haar negentiende, zo diep geschaamd voor haar klompschoen dat het zweet haar elke keer uitbrak. Log en bruin stond hij daar voor iedereen zichtbaar op het rode tapijt van de lange gang, als een neonsignaal: komt dat zien, komt dat zien, hier logeert een lammepoot.

Ze had het nooit tegen haar vader gezegd dat ze een lammepoot was genoemd. Hij was al des duivels genoeg geweest. Tijdens heel die reis van lang geleden, bedoeld om in het reine te komen met wat er was gebeurd, had ze hem op onbewaakte momenten zien knetteren van woede, boven een glas sambuca, of in de rij voor de kassa van het Uffizi. En telkens als de bekende ader in zijn voorhoofd opzwol, werd ze heen en weer geslingerd tussen ontroering en argwaan: nam hij het voor haar op, of was hij alleen maar tot in zijn merg beledigd omdat iemand het had gewaagd de dochter van Job Olson te krenken?

Toch had hij haar niet één keer toegesnauwd: 'Ik heb het je wel gezegd! Ik heb je nog gewaarschuwd!' In plaats van haar te vervloeken of verwijten te maken had hij haar heel Italië doorgesleurd, van Ventimiglia tot Rome: wijngaarden, olijfbomen, stoffige steegjes met gesloten luiken, oleanders, bleke fresco's, madonna's en piëta's, dalen vol cipressen, verweerde kerkjes waarin vermoeide vrouwen naast hun boodschappentas knielden, palazzo's en pistache-ijs: het land van je moeder. Somber en haast dreigend zei hij het elke keer opnieuw. En dan opeens, voor zich uit starend: 'Wat had ze je graag zien opgroeien.'

Ze hoorde een bedekte aansporing in die woorden. Wat was er nu natuurlijker dan je kind te willen zien opgroeien? Denk goed na Maria! Je staat voor een besluit dat je maar éénmaal kunt nemen. Maar in het hotelbed piekerend over haar netelige toestand, de handen over haar buik gevouwen, merkte Maria dat haar hersens eenvoudig dienst weigerden. Willoos verliet ze zich op haar vader, vertrouwend op de juistheid van de argumenten die hij aanvoerde. Hij had geen morele problemen met abortus, zei hij, maar hij verdomde het haar de rest van zijn leven onder schuldgevoel te zien lijden.

'Thee?' riep Felicity vanuit de keuken.

Liggend in het gras schudde Maria even met haar hoofd om haar gedachten bijeen te drijven. Het mocht hier tegenwoordig dankzij Felicity's geredder dan wel een vakantieoord lijken, maar vakanties waren normaal gesproken van korte duur, het waren hiaten in je gewone leven. Na een tijdje wilde je weer overgaan tot de orde van de dag, en de dingen doen die je bestaan door hun ritme en regelmaat reliëf gaven, zelfs zin.

'Sterrenmix,' zei Felicity, uit de schaduw te voorschijn tredend. Ze zette een blad met theegerei in het gras. 'Je moet even wat drinken, Job, anders droog je uit, in die zon. Jij ook thee, Maria?'

'Graag,' zei Maria, zoals de beleefdheid gebood.

'Vooruit, Job, even pauzeren.' Felicity lepelde gedecideerd honing in de kopjes.

Ja, dacht Maria, als jij er niet was, zou niemand zich om het welzijn van die man bekommeren. Ze zei: 'Hij wil je niet beledigen, maar hij houdt eigenlijk niet zo van zoetigheid.'

Felicity keek verbaasd op. 'O, dan haal ik wel even een citroentje.' Ze stond al, en rende naar de keuken.

'Vit niet altijd zo op haar,' zei haar vader zonder van zijn werk op te kijken. 'Stapelgek word ik van dat gekrakeel.'

'Ach,' zei Maria gespannen. Ze stelde zich ten doel zo min mogelijk woorden aan Felicity te wijden. 'Lig ik zo goed?'

Hij zweeg.

Ze liet haar hoofd zakken, en meteen viel haar blik weer op de afgevallen bladeren, her en der in het gras.

Hoe was het mogelijk dat ze niet eerder had gezien dat er iets mis was met hun appelboom? Onder die boom had ze lang geleden leren kruipen, en nooit, had haar vader haar vaak verzekerd, hoefde ze 's nachts in bed bang te zijn voor het donker, want vlak voor haar slaapkamerraam hield de appelboom de wacht en versperde met zijn dikke takken alle boze dromen de toegang. Overrompeld door herinneringen zei ze: 'Weet je nog wat je altijd vertelde over de appelmannetjes?'

Haar vader krabde met zijn paletmes aan het doek.

'En midden in de winter ben je er een keer stomdronken in geklommen,' vervolgde ze. 'Je zat helemaal bovenin, en je riep dat je op de dijk een zwarte Piet zag aankomen. En toen heb je een diabolo in mijn schoen gedaan. Een blauwe, met rode strepen.' Ze lachte.

Haar vader snoof. 'Altijd die sentimenten van je.'

'Ach, het zijn gelukkige herinneringen. Je deed vroeger zulke leuke dingen met me.'

'Je hebt je linkerarm verplaatst.'

Automatisch hervond ze haar pose.

'Nee, niet zo.'

'Hoe dan?' Ze was blij dat het hem kon schelen.

'Moet ik dat weten? Jij moet het voelen.'

'Wat moet ik voelen?' vroeg ze gealarmeerd.

'Hoe het is,' zei Job.

'Wat?' Ze ging rechtop zitten en keek hem aan. 'Hoe het is om een klein kind voor te stellen dat nog moet leren lopen?'

'Stel je niet aan.' Geïrriteerd sloeg hij een neerdwarrelend blad van zijn hoed. '*Maria's wereld* gaat niet over jou. Je begint al net zo hersenloos te kwekken als Fee. Waaraan verdien ik het toch omringd te zijn door imbecielen? Kippen zonder kop zijn jullie. En zou je nu misschien zo goed willen zijn om weer te gaan liggen?'

Maria ging liggen. Onder haar lichaam knisperden de dode bladeren van de appelboom, waaronder zij ooit met haar roodgestreepte diabolo had gespeeld. Job had nooit aangepast speelgoed voor haar gekocht. Dat was iets voor druiloren en zielepieten. 's Winters nam hij haar gewoon mee naar het ijs, hij bond haar Friese doorlopers onder, aan beide voeten, en dan sleepte hij haar voort aan zijn groengeruite sjaal, terwijl hij van inspanning stoomwolken voor zich uitstootte, net als de god van de noordenwind uit het sprookjesboek. Niet balken, Maria, doorzetten, of wou je soms een godverdomde zeikerd van een treurwilg worden?

Als ze gingen kamperen, wasten ze zich de hele week niet, ze aten met hun handen, meestal sardientjes uit blik die Job in een oude zwarte koekenpan in veel te veel olie bakte, en ze stookten vuren die roetsporen op hun kleren achterlieten, wij zijn de wildemannen van de prairie, ons haar, ons haar, ons haa-aar zit altijd vol met derrie. 'Zeg,' zei ze geestdriftig, 'weet je nog hoe we...'

Maar daar kwam Felicity alweer aan, met haar schijfjes citroen. En zo meteen zou het een sapje zijn, of een soepje, hetzij een pasteitje. Iedere middag droeg zij een onafzienbare stroom versnaperingen aan die de concentratie verstoorden en het werk onderbraken: waar Felicity met haar kleine hoefjes trad, kreeg de verf amper de kans om uit de tube op het palet te belanden, laat staan op het doek. Had ze niet in de gaten dat ze Job hinderde?

Maria voelde haar hart bonzen: wat probeerde ze zichzelf wijs te maken? Haar vader greep elke afleiding dankbaar aan. Steeds vaker werd ze de laatste tijd, als ze hem tijdens het werk van onder haar wimpers observeerde, bekropen door het gevoel dat hij nu al zo lang vastzat met *Maria's wereld* dat hij er eigenlijk geen gat meer in zag. Hij was niet iemand die zijn eigen falen erkende, hij verloor gewoon zijn belangstelling als een doek dreigde te mislukken. Ze zou zich misschien alleen maar hoeven verroeren om te merken dat zijn blik haar niet langer aan de grond genageld hield. Nu ze zijn aandacht voelde wegebben, was het alsof ze werd ontdaan van onzichtbare kabels en kluisters. Ze zou elk moment kunnen wegdrijven, als vervluchtigende rook. En vanaf dat ogenblik zouden ook de tientallen *Maria's* in musea over de gehele wereld verbleken en vervagen in hun lijst. Dat wist ze met een duistere, ontzagwekkende zekerheid.

Ze riep uit: 'We zullen die boom moeten laten omhakken.'

'Ik pieker er niet over,' antwoordde Job onverstoorbaar. 'Ik haal er wel een boomchirurg bij. Ze kunnen zoveel, tegenwoordig.'

'Welnee,' zei ze obstinaat. 'We gaan niet tot het einde der tijden tegen dat dooie ding aankijken, alleen maar omdat jij nooit ergens afscheid van kunt nemen.'

'Kom jongens,' suste Felicity. 'De thee. Zit jij zo wel goed, Maria? Wil ik even een ligstoel voor je halen?'

'Waarom zou je?'

'Niet tutten, Feetje,' zei Job.

'Nou,' zei Felicity kordaat, 'dan pak ik alleen een stoel voor mezelf.'

Die goedhartige types die zogenaamd geen enkel kwaad in de zin hadden waren het ergst, dacht Maria. Altijd bereid voor je rond te hollen op hun gezonde benen. Op de gekste momenten staarden ze je aan alsof je een zieltogende zeehond was en zeiden dan omfloerst: 'Ik heb er toch zo'n bewondering voor hoe jij met je beperkingen leeft.' Zodat je tenminste geen tel de kans kreeg die beperkingen te vergeten. Maar als je ze met hun hometrainers en hun diëten in de weer zag, kreeg je de indruk dat zij zelf meer te stellen hadden met hun onbegrensde mogelijkheden dan jij met je gebreken. Het bezat zekere voordelen te hebben afgeleerd je met je lichaam te identificeren. Dan was je er in elk geval niet de slaaf van.

'Wat grijns je?' vroeg haar vader.

'Niks. Drink je thee nou op, dan kunnen we verder.'

Hij keek naar Felicity die, billen karnend in het rode broekje, een tuinstoel over het gazon aansleepte. Toen zei hij: 'Weet je wat, Maria? Ik geef je de rest van de middag vrij.'

Dat weekend harkten Cas en Xandra, aan de overkant van de vaart, in hun tuin als slaven om het Japanse arrangement van witte kiezelstenen en papyrus van bladeren te ontdoen. Hun goten waren verstopt en tot onder de motorkap van de Saab van Cas en van Xandra's onlangs isabelwit gespoten Mustang vonden ze afgevallen blad. Het was zo warm dat ze tijdens het werk allebei ruim een liter mineraalwater dronken, zonder ijs, maar met versgeperste limoen.

's Avonds laat, augurken etend voor de televisie, zag Xandra dat het karwei haar drie harsnagels had gekost, maar ze was te moe om er iets aan te doen. Ze was alleen thuis, Cas was aan het joggen. Zelf jogde ze niet meer. Ook haar wekelijkse partijtje squash was verleden tijd. Slechts yoga en zwemmen waren gedurende de zwangerschap toegestaan. Soms was het moeilijk het die kleine Olson in haar buik niet kwalijk te nemen dat hij haar zo aan banden legde. Volgens het boek dat Cas haar had gegeven, woog hij nu al minstens twee ons. Zijn organen waren ontwikkeld, zijn gelaatstrekken gevormd. Hij had oren, wenkbrauwen en oogharen. Zelfs een naam had hij al: Jason. J.O. voor zijn vrienden, zei Cas telkens vergenoegd.

Hij was aan het joggen met Felicity Olson.

So what, dacht Xandra. Felicity was een gelukkig getrouwde jonge vrouw. Op de hele wereld waren op dit moment vrouwen en mannen samen aan het sporten terwijl hun wederhelften thuis naar het journaal keken.

Op het televisiescherm waren beelden te zien van uitgelaten kinderen die blootsvoets en in badpak in herfstige hopen knisperende bladeren rondsprongen. Een geïnterviewde deskundige van Staatsbosbeheer verklaarde dat het grondwaterpeil door de onnatuurlijke droogte en de tropische temperaturen die al vanaf april heersten, zo dramatisch was gezakt dat de bomen in heel het land nu uit lijfsbehoud voortijdig hun blad afwierpen teneinde verdere verdamping, die hun zeker noodlottig zou worden, te voorkomen. Het leek misschien alsof er sprake was van massale sterfte, maar in feite volgden de bomen een verstandige strategie. Zij wisten precies wat ze deden.

Xandra stond op om nog iets te eten uit de keuken te halen. De gedachte aan bomen als denkende, strategisch handelende wezens was nooit eerder bij haar opgekomen. Er ging iets sinisters van uit. Maar sinds ze zwanger was boezemde de natuur haar een vage vrees in.

De doos negerzoenen die in de koelkast behoorde te staan, was verdwenen. Ze keek buiten in de vuilcontainer. Ja hoor, de smiecht had het verfrommelde karton onder een paar oude koffiefilters weggewerkt. Negen stuks: dat zou hem minstens anderhalf uur extra rennen kosten. En wat werd zij geacht al die tijd te doen? Met een klap sloot ze de deur weer. Ze moest om haar bloeddruk denken. En om de rest. Ze had last van pijnlijke borsten, van maagzuur en van een onrustige hartslag. J.O. maakte haar tandvlees sponzig en haar nagels bros. Hij had haar spataderen en een chronische verstopping bezorgd, pijn in haar ribben en in haar rug, aambeien, een metalige smaak in haar mond, kramp in haar kuiten, druk op haar middenrif en vaginale jeuk en afscheiding, en volgens Cas' boek zou het de komende maanden alleen maar erger worden. En waar was Cas zelf?

Ze draaide de kraan open en liet koud water over haar polsen stromen. Maar haar agitatie nam alleen maar toe toen ze zag hoe opgezet en rood haar vingers waren. Haar eigen handen kwamen haar vreemd voor, en ineens moest ze vechten tegen de gedachte dat zij niet langer Xandra Olson was. Zij was alleen nog maar de huls waarin J.O. woonde, een klont cellen die geen ander oogmerk had dan haar te usurperen, te misvormen en te kwellen. Hij schopte haar tegen de ribben toen ze de kamer weer inging.

Menigeen was jaloers op Xandra's woonkamer. Het kleurenschema was agave, aubergine en woestijnzand. Een zwartgelakt kamerscherm deelde de immense ruimte in tweeën, die verder vrijwel leeg was afgezien van een paar grote drijfschalen met bleekroze azalea's. Ze liet zich neervallen op de bank en keek, bevangen, naar de glimmende, knalrode trapauto die Cas midden in de kamer had geparkeerd.

Bijna elke dag kwam hij met iets lelijks thuis: Jip-en-Jannekebekers, rubbereendjes die schril piepten als je erin kneep, sokjes met Bert en Ernie erop... Geestdriftig demonstreerde hij rammelaars en hobbelpaarden en werd kwaad als zij niet even enthousiast was, of misschien was hij teleurgesteld. Hij was zo onpraktisch. Er waren genoeg andere dingen die aangeschaft moesten worden. Olie, talkpoeder en luiers. Een luieremmer.

Een badje. 6 katoenen vestjes, 2 wollen truitjes, 6 stretchpakjes, 6 plastic broekjes. Je moest overal op bedacht zijn. Een wieg, een buggy, een autozitje, een draagzak. Een open ruggetje, spasticiteit, het syndroom van Down. Striae, hangborsten, pigmentvlekken. Ingeknipt worden, tepelkloven, postpartumdepressie.

Alle zwangere vrouwen hadden angsten en dwanggedachten, zei Cas, op een toon alsof die opmerking volstond om je meteen van je angsten en dwanggedachten te verlossen. Alle zwangere vrouwen hadden ook een verhoogd libido. Come on Xan, doe niet zo flauw. Ze vermoedde dat hij vooral de pest in had omdat zij voor twee at, zoals dat heette. Als zijn moeder niet een gat in hem had gecreëerd door hem alle informatie over zijn afkomst te verzwijgen... als, als, als. Als je ook maar iets voelt dat op een wee lijkt, zei Cas, dan bel je me, zelfs al zit ik in een meeting, ik wil erbij zijn om J.O. aan te moedigen.

Je mocht niet zomaar puffen, zei hij, je moest er huhhuh-huh bij zeggen. En elke keer als je voortijdig wilde gaan persen, moest je volgens de methode van Positieve Affirmatie snel een deur visualiseren, een bronzen deur met daarachter een bronzen trap, de trap van het Commitment. Als je die helemaal was afgedaald, doemde er een zilveren deur op die toegang gaf tot de zilveren trap van de Target. De derde deur was van goud, en de lange gouden trap die dan aan je voeten gaapte, voerde je naar het Achievement. Eenmaal beneden betrad je een witte ruimte die met kaarsen was verlicht. Er stond een grootbeeld-televisietoestel op een sokkel. En daarop verscheen je zelf in beeld, ontspannen en stralend, met een wolk van een baby in je armen. 'Je bent geweldig,' zei een voice-over. 'Je hebt het fantastisch gedaan.' En meteen stroomden van alle kanten opgetogen familieleden en vrienden toe en overlaadden je met pluchen knuffels, trappelzakken, bijtringen, hansopjes en speeldoosjes die Slaap-kindje-slaap tinkelden.

Xandra dacht: en dan rijdt Cas kraaiend het toneel op, in zijn trapauto. Ze kon zich niet langer beheersen, ze greep de telefoon en draaide het nummer van Oude Brug.

'Met Olson,' zei Job.

'Zijn Cas en Felicity al terug?' barstte ze uit.

'Nee,' antwoordde hij, al even onceremonieel.

Ze vermande zich. 'Dag Job. Sorry dat ik zo met de deur in huis val. Ik stoor toch niet?'

'Ach welnee. Ik zit wat met die nieuwe computer te klooien. Cas moet me straks nog eens uitleggen...'

'Nee! Hij moet meteen thuiskomen.'

'Christus, je bent toch niet al aan het bevallen, hè? Het zou toch pas...'

'Eind december.'

'Ik wou dat je nooit aan die apekool was begonnen,' zei Job.

'Ik?' zei Xandra. 'Dit is iets wat Cas en ik samen willen, hoor.'

'Ben ik straks overgrootvader. Ik dacht altijd dat dat alleen kwijlende, tandeloze sukkels overkwam,' vervolgde hij.

'Wat zeg je nou?' zei ze kortaf. Meestal werkten zijn theorieën op haar lachspieren, maar nu hadden zijn woorden een ander effect op haar. 'Je zult zien dat je het enig vindt als de baby er eenmaal is. Je zult vast meteen...'

'Als je maar niet denkt dat je straks een gratis oppas aan me hebt. Jij denkt natuurlijk: hij heeft toch tijd zat, want hij is uitgeschilderd. Dat is immers wat jullie allemaal denken.'

'Welnee.' Xandra was eerder verbaasd dan geschrokken.

Hij ademde zwaar. 'Ik heb geen tijd voor dit geleuter. Ik verbind je door.'

'Dat hoeft niet. Ik wilde alleen maar...' Ze hoorde de klik al. Nu zou ze nog een praatje met Maria moeten maken ook. Ze wist nooit hoe ze haar schoonmoeder moest aanspreken. Moeder klonk zo belegen. Mama te intiem. Maria te amicaal. Ze had nooit iets over Xandra's nieuwe neus gezegd. Typerend, vond Cas.

'Sandra!' zei Maria. 'Wat heb je in 's hemelsnaam tegen Job gezegd dat hij zo overstuur is?'

'Maar ik heb niks...' Ze hapte naar lucht.

'Is er wat?'

'De baby is zo aan het schoppen.'

'O,' zei Maria ontoeschietelijk.

Xandra kreeg het warm van verontwaardiging. Straks begon haar schoonmoeder er ook nog over dat ze niet wilde oppassen. Alsof J.O. niet allang in een crèche stond ingeschreven. En al had je geen crèche, dan nog kwam Oude Brug niet in je hoofd op. Hemel, dat huishouden daar. Totaal ongeschikt voor kleine kinderen. Cas had vroeger ook nooit schoolvriendjes mee naar huis kunnen nemen: die vonden het er gek.

Ze zag de lage, duistere vertrekken voor zich, het krakende trappenhuis, de stoffige, zelden gebruikte woonkamer waar een kleine, koortsige Cas met de mazelen op de bank had gelegen terwijl Maria en Job in het atelier waren, want het werk ging voor; het werk, had Maria hem altijd gezegd, waarvan we allemaal afhankelijk zijn, dus jij ook, Cas. Hier, neem maar een ijslolly.

Meteen was Xandra bereid haar man bijna alles te vergeven. In gedachten rook ze de schimmelige geur van de trijpen bekleding van de bank. Dezelfde uitgezakte bank waar zij beiden die eerste keer vanaf waren gerold. In hun val hadden ze, met hun bezwete lijven nog in elkaar verstrengeld, een plantentafeltje vol prehistorische cactussen geraakt. Op het geluid van de neerkletterende potten was Maria komen aanstrompelen. Ze had één blik op hen geworpen en toen zakelijk gezegd: 'Hou op met die onzin, Cas.'

Bij de herinnering voelde Xandra zich weer vernederd. Altijd even superieur, Maria. Alsof haar niets te verwijten viel. 'Zeg,' stelde ze voor, 'zou jij, nu Cas zelf vader wordt, niet eindelijk eens vertellen wie de zijne was?'

'Moment,' antwoordde haar schoonmoeder. Ze klonk zo onaangedaan dat Xandra besefte dat ze als het ware in het klad had gesproken: ze had er beter over moeten nadenken. 'Ja hoor,' hernam Maria. 'Daar komen Cas en Felicity net aan. Cas! Hier is je vrouw.' Tegen Xandra zei ze: 'Daar komt-ie. Dag.'

'Jezus, Xandra,' zei Cas na een ogenblik. 'Moet je nou echt elke keer dat ik vijf minuten van huis ben, meteen aan de telefoon hangen? Felicity zei net nog...'

'Felicity?' riep Xandra uit. 'Heeft die nu ook al wat op me aan te merken? Wat hebben jullie Olsons vandaag toch?'

'Dat heet zwangerschapsparanoia.'

'Ik zit hier met een kind dat me bont en blauw trapt terwijl jij met Felicity...'

'Zeg doe me een lol! Felicity is mijn aangetrouwde oma!'

Alsof het om Felicity ging – wat kon Felicity haar schelen. Ze wilde al opnieuw uitvaren toen ze Cas aan zijn kant van de lijn gedempt hoorde zeggen: 'Wat? Ja, lekker, maar niet te veel slagroom, hoor.'

Ze gooide de hoorn op de haak, vlug, voordat hij de

kans zou krijgen. Vreet je maar een ongeluk. Dan krijg je die papperige kont weer. Ga je gang. Ga gerust je gang.

J.O. schopte en trapte, en dus zat er niets anders op dan maar weer naar de keuken te gaan. Allicht: Cas' genen! Ze verhitte boter in een koekenpan, gooide er een heel pak bevroren vissticks in en begon te huilen.

Getergd schonk Job zich in zijn warme atelier een wodka in. Zijn avond was bedorven. Als zelfs dat juffie van Cas nu al commentaar had op zijn vorderingen... maar waarom zou hij zich eigenlijk iets aantrekken van al die betweterige bleekscheten? Om hem heen leunden *Maria's* tegen alle muren: godallemachtig, gemakkelijk was het nooit geweest en zou het ook nooit zijn, wie het makkelijk wilde hebben, moest maar ambtenaar worden. Maar hij had het altijd geklaard. Dus ook *Maria's wereld* zou hij kleinkrijgen.

Hij keerde zijn computer de rug toe en liep onwillig met zijn glas in de hand naar de ezel. Stom doek, wat is er toch mis met je? Compositorisch viel er niets meer aan te verbeteren, zou je zeggen. Het enigszins glooiende grasveld van de tuin domineerde het beeld, overkoepeld door een hemel die neigde naar een dreigend lichtgroen. In de rechterbovenhoek stond klein en als van grote afstand het asgrauwe houten huis, met ernaast het van uitdroging bijna instortende atelier. Nergens een appelboom, een border met gele theerozen of een oude oliedrum met een clematis erin: hij had de werkelijkheid herschapen, leger, kariger, onvruchtbaarder dan de echte. En uit de linkeronderhoek kwam zijn dochter te voorschijn gekropen, op de rug gezien. Met gestrekte armen waarvan de polsen knakten onder haar gewicht, sleepte zij zich voort als een voorhistorisch dier over de eindeloze afstand die Job haar had gegeven, naar het bijna onbereikbare huis. Een haarstreng was uit haar knot losgeraakt en woei opzij, in tegenspraak met het verder roerloze landschap, alsof er in een verre uithoek van de kosmos een boze wind was opgestoken die het alleen op haar had gemunt.

Ik krijg haar niet in focus, dacht hij geërgerd. Waarom krijg ik haar niet scherper, helderder, aanweziger? Ze ziet er verdomme uit alsof ze elk moment zal vervliegen, terwijl zij het hele werk juist bij elkaar moet houden, zonder haar bestaat *Maria's wereld* immers niet. Toen versprongen zijn gedachten, als geschrokken, en stoven alle kanten op. Hij hechtte gewoon te veel belang aan dit ene schilderij, waarom zou dit de ultieme *Maria* zijn, er zouden er nog vele volgen, zijn oeuvre was nog altijd in wording.

Maria was per slot van rekening pas vijfenveertig.

Het was waar dat hij haar indertijd bijna was kwijtgeraakt, maar de risico's van toen bestonden nu niet meer. Geen schijn van kans dat zij Oude Brug nog zou verlaten.

Hij gooide een vochtige lap over het doek en schonk zich opnieuw in. Door zijn open raam dreven vanuit de donkere tuin stemmen naar binnen, een vrolijk zomeravondgeluid. Cas zei iets en daarna klonk Fee's schorre, uitbundige lach. Hij stond stil, midden in het atelier. Van verlangen braken de vlammen hem uit, zijn bloed bonsde. Maar hij bleef staan waar hij stond en dronk met kleine slokjes van zijn wodka totdat hij weer bedaarde.

Op zijn hoede begaf hij zich naar het venster. Hij kon zijn vrouw en kleinzoon in de duisternis niet ontwaren, maar aan hun stemmen te oordelen waren ze in de buurt van de stinkende put. Hij zag voor zich hoe Fee met haar benen zwaaiend op de rand van het nieuwe deksel zat en zei: 'Job denkt echt dat hij er baat bij heeft.' Dreef ze de spot met hem? Het was anders haar eigen idee geweest. Zelf had hij nooit geloofd in dat slappe kwakzalversgeklets over de helende krachten van stenen, onkruid en andere rotzooi. Maar het was een feit dat die paar glazen zwavelhoudend water driemaal daags een zeker effect hadden. Zijn hoofdhuid schilferde veel minder en ook zijn haar lag 's ochtends niet meer bij bossen op het kussen.

Het kaal-worden op zich deerde hem niet, zijn kop was goed van architectuur, maar het feit dat zijn haar er de brui aan gaf, joeg hem de stuipen op het lijf: levenslang was het er geweest, onvervreemdbaar, net als zijn tenen en zijn vingertoppen, zijn hart en zijn milt en zijn longen. Het verlies ervan was een voorbode van andere vormen van verraad en desertie van zijn lichaam, van een totale fysieke anarchie die in zijn binnenste werd voorbereid of die daar zelfs, als hij eerlijk was, allang gaande was. Want die... die verdomde... maar zelfs in gedachten kon hij het woord niet uitspreken, de koele term voor de onzalige kwaal die hem tegenwoordig plaagde. Een regelrechte bespotting van de menselijke waardigheid. Toch had die halfgare baviaan van een specialist ijskoud gezegd, terwijl hij zijn bleke, dunne handen waste: 'U moet er maar mee leren leven.'

Godnogaantoe. Bestond er dan geen genade?

Hij had een operatieve ingreep verwacht, iets met laser, of anders tenminste een afdoende pillenkuur. Ze konden Siamese tweelingen scheiden, harten transplanteren, grote borsten kleiner maken en kleine borsten groter, ze vroren sperma in en brachten eicellen buiten de baarmoeder tot bevruchting. Elke flard en flinter van de mens kon worden gereviseerd, gerepareerd, geperfectioneerd; voor het hele bouwpakket waren nieuwe of sterk verbeterde onderdelen te krijgen, alleen Job Olson viste achter het net.

Maar hij was niet voor één gat te vangen. Wat goed was voor zijn schedel, kon immers ook elders een heilzaam effect hebben. Hij had daarom in alle stilte besloten zijn dagelijkse dosis te verdubbelen, zowel voor oraal als uitwendig gebruik. Baatte het niet, schaden zou het zeker niet. Ofschoon het zwavelwater stonk als een bunzing, was het vrijwel zonder smaak, en bovendien had hij voor alle zekerheid een eenvoudig filtersysteem aangeschaft. Op buikloop zat niemand te wachten. Het enige probleem was het snel dalende waterpeil in de put. Vanwege die verrekte hittegolf zou hij een diep ingeboorde, pompgestuurde bronbemaling moeten laten installeren. Hij had al offerte aangevraagd bij een bedrijf. Er was een blaag van een uitvoerder komen kijken.

Job had hem graag een heel college over zwavel gegeven: hij had het nageslagen, en het spul had inderdaad een lange historie in de geneeskunde. Al vroeg in de geschiedenis werden zieke lichaamsdelen met zwavel berookt; al bij de Batavieren gebruikten ze het tegen schimmels, parasieten, eczeem, acne. Het werkte jeukstillend, hoornoplossend en antiseborrhoïsch en droeg nog veel meer beloften in zich: door het te verbinden met kwikzilver en zout hadden generaties alchimisten gehoopt de steen der wijzen te verkrijgen, die niet alleen onedele metalen in goud zou veranderen maar ook iedere denkbare ziekte kon genezen, en die, opgelost in water, resulteerde in een levensverlengend en verjongend elixer. Een doel waarvoor menigeen zijn ziel aan de duivel had verkocht.

Daar kon hij inkomen. Want zou niet iedereen die bij

zijn verstand was, er alles voor overhebben om verschoond te blijven van de plagen van de oude dag?

'Misschien zou je er minder last van hebben als je niet zulke sloten water dronk,' zei Fee soms. Ze had van die bejaardenpampers voor hem gekocht, met godbetert een hechtstrip, die hem deed denken aan de met lijm bestreken vliegenvangers die Claudia vroeger boven de keukentafel hing. Dat zij bij de drogist had gestaan, met dat pak in haar hand! De mannen die haar nakeken toen ze met haar aankoop de winkel verliet. Hun blikken. Hun strakke, goedgevulde jeans.

De specialist had hem verzekerd dat 'alles verder normaal functioneerde', maar als Fee aanstalten maakte om verlangend tussen zijn knieën neer te hurken, brak het zweet hem uit, verhit en beschaamd duwde hij haar weg. Al had hij zich net gewassen, de hele dag had zijn geslacht als een rottende mossel in zijn eigen vocht gelegen, als een verweekte teen in een lekkende laars, als een bruin uitgeslagen peuk die was gedoofd in een borrelglas met nog een bodempje erin.

'Ach liefje,' zei zijn vrouw, 'die paar druppeltjes.'

Was zij een heilige of deed ze alleen maar alsof?

Hij wenste dat Maria de was nog deed. Maria zou geen woord hebben gezegd over de staat van zijn beddengoed of zijn onderbroeken, ze zou alles schoon en opgevouwen weer in de kast hebben gelegd en ze zou nooit hebben aangestuurd op een van die open gesprekken waarop Fee zo dol was, vooruit Job, dit wil je helemaal niet voor me verbergen, het zal je opluchten erover te praten. En maar kwekken, en maar kwekken. Dat was 'goed voor de relatie'. Je was tegenwoordig namelijk niet meer gewoon in de echt verbonden, nee, je had 'een relatie', waaraan je gezamenlijk 'werkte' middels oeverloos gezwam en gezever. En als je het niet eens werd, dan sloeg je niet met de deuren, maar je raadpleegde samen de I-Tjing, bij een walmend wierookstokje. Fee was altijd op zoek naar de kosmische betekenis der dingen. Alles hing met alles samen, volgens haar.

Maar nu had hij dus via Cas die computer en die Internet-aansluiting geregeld, en iedereen wist hoe verslavend dat was: hij had kortom een valide excuus om pas ver na middernacht naar bed te gaan, als zijn onstuimige vrouw allang sliep. Er vroeger nooit de lol van ingezien om per modem met een stelletje onbekenden in Oklahoma te gaan zitten bamzaaien, maar als je eenmaal bezig was, kreeg je de smaak vanzelf te pakken.

Ooit had zijn oude vijand God, die doodsengel die zich Schepper liet noemen, misschien de hemel en de aarde gemaakt, maar was de mens niet oneindig veel verder gegaan door Cyberspace te creëren? Een onbegrensd domein waarin tijd en ruimte geen betekenis meer hadden, de pilaren waarop het hele bestaan tot dusverre had gerust! Zonder tijd was Gods meest boosaardige troef, de eindigheid van een mensenleven, als het ware opgeheven. Touché!

Soms merkte hij dat hij in zijn eentje achter de computer zat te grijnzen. Al reizend in het elektronisch universum werd je nooit door kaartjesknippers aan je kop gezanikt om je 65-plus-pas, en nergens sprongen overbeleefde sijsjeslijmers ongevraagd overeind om je een zitplaats voor je oude knoken op te dringen. Niemand die wist hoe je er thuis bij zat: je kon je uitgeven voor wie en wat je maar wilde. Op het scherm was je je eigen Maker, eenvoudig door wat te klikken en te dubbelklikken.

Hij was met zijn hele ziel en zaligheid verkocht.

Maria verscheen 's ochtends vroeger dan anders aan het ontbijt, en Felicity voelde zich bestolen van het enige moment van de dag waarop ze Job voor zichzelf had. Tijdens dit ene vreedzame uur met thee en een eitje had zij tenminste het gevoel dat ze een gewoon huwelijk hadden, een leven zoals iedereen. Toch schrok ze ook, telkens wanneer ze besefte dat dat blijkbaar haar wens was. Bits zei ze: 'Jij bent er vandaag ook vroeg bij.'

'Ik moet om negen uur bij de schoenmaker zijn,' zei Maria.

Nu pas merkte Felicity de witte zijden blouse en de wijde rimpelrok met rode stippen op. Voor haar bezoek aan de orthopedische schoenmaker had Maria bovendien rouge en lippenstift opgedaan. En dat alles vanwege het vooruitzicht een paar nieuwe bruine schoenen aangemeten te krijgen. Felicity liep nog rond in het T-shirt waarin ze had geslapen en haar humeur zakte nog verder toen Maria tegen Job zei: 'Je was toch niet vergeten dat je me zou brengen?'

Hij liet zijn krant zakken en staarde haar aan. 'Nee. Maar wit is je kleur niet,' zei hij en hervatte zijn lectuur.

Maria trok haar kraagje recht. Even knipperde ze als gekwetst met haar ogen. Toen zei ze op nuchtere toon: 'Als het aan jou lag, liep ik altijd in die koolsoepjurk. Felicity zegt het ook zo vaak. Jij hebt me het liefst op mijn lelijkst.' Ze nam een beschuit.

'Zo,' zei Job. Hij vouwde de krant dicht. 'Hebben de dames een verbond gesloten?'

'Zou je niet eens ingaan op wat Maria zei?' vroeg Felicity. 'Het is waar dat jij haar altijd...'

'Maria's essentie is de imperfectie. Zo zie ik dat. Maar dat is het leven, Fee. Niets is zoals het wezen moet.'

Ze voelde zich op haar nummer gezet. Ze was gegriefd: ze had het alleen maar voor Maria willen opnemen. Ze had het beste met haar voor, ze wrong zich de hele dag in bochten en ze nam haar bergen werk uit handen, in huis en in de tuin. Had Job dat soms niet in de gaten? Merkte hij niet hoezeer ze zich uitsloofde?

'We kunnen beter opschieten,' zei hij, terwijl hij zijn stoel achteruitschoof. 'Straks is de hitte helemaal niet meer te harden. Ik ga de auto vast halen.'

Verslagen begon Felicity de tafel af te ruimen toen ook Maria was opgestaan. Van onmacht sprongen de tranen haar in de ogen: haar man nam na krap drie maanden huwelijk al niet eens meer de moeite haar gedag te kussen. Ze beet op haar lippen terwijl ze het vaatwerk op het aanrecht zette. Ook in bed taalde hij niet meer naar haar. En het wilde er bij haar niet in dat dat alleen maar lag aan dat onnozele kwaaltje van hem. Er moest veel meer aan de hand zijn.

Ze ruimde de keuken op die de hare niet was en veegde de lange tafel schoon waaraan Claudia lang geleden erwten had gedopt en tomaten had gesneden, maar dat het lang geleden was geweest, was het punt niet. Pas op, zei ze snel tegen zichzelf, niet gaan malen, het moet geen obsessie worden. Niet weer Claudia, die Italiaanse boerentrien. Er waren echter eenvoudig te veel tekenen die erop wezen dat de eerste mevrouw Olson nog lang niet vergeten was. Zelfs 'Claudia's rozen' bij de keukendeur waren heilig geweest. Job had dagenlang niet tegen haar gesproken. Maar ze had ze niet opzettelijk dood laten gaan.

Ze kon het maar beter onder ogen zien: ze had een schim als rivale, een dierbare nagedachtenis. Tegen concurrentie van vlees en bloed was ze opgewassen, maar deze strijd was bij voorbaat verloren.

De hitte veroorzaakte een traag gebonk in haar hoofd, alsof er iemand bezig was met een houten hamer tentharingen in de grond te drijven. Ze wilde de tafel waaraan Claudia had gezeten wel een schop geven, en de muren om haar heen, die Claudia hadden omvat, en de deuren, die zich voor Claudia hadden geopend en gesloten; elke plint en drempel, ieder kozijn en plafond zou ze te lijf willen, de vloeren, de treden van de trap; ze wilde de tegels van de muren lichten en de pannen van het dak: alles wat getuige was geweest van Claudia's glorie.

Ze had al eens geprobeerd Cas uit te horen. Ze moest alles weten over zijn grootmoeder, hoe oud ze was geworden, zelfs waar ze was begraven. Soms had ze namelijk het spookachtige gevoel dat Claudia's aanwezigheid in Oude Brug nog tastbaar was, alsof zij elk moment weer door de keukendeur kon stappen. Cas had schouderophalend gezegd: 'Hij is nu met jou getrouwd. So what's the problem?'

Het was stil in huis. Nu Job er niet was, voelde ze zich haast een indringer. Ze zette de televisie aan die ze ondanks zijn protesten in de keuken had opgesteld. Ik woon hier ook, Job.

Koffietijd!

Misschien had ze haar baan niet moeten opzeggen.

En het was ook zo heet, zo hels heet.

Ze perste een paar sinaasappels uit en dronk het sap staande voor de televisie op, als iemand die eigenlijk geen seconde te verliezen heeft. Op het scherm verschenen in een mistig landschap lieden die op drums sloegen en boomstammen omarmden. Ze droegen primitieve vodden maar hadden wel een Seiko om de pols, en op een zeker moment werden ze tijdens hun dans gestoord door het gerinkel van een draagbare telefoon. Men roerde de trom en hief de armen.

'De bomen hebben een boodschap voor ons,' zei een van de deelnemers. 'Je moet ze zien als een soort wijze oude mannen, kijk maar naar die kale kruinen van ze. Dat is nou de natuur: het kan niet eeuwig zomer zijn.'

'De natuur?' zei Felicity hardop. Wat betekende dat woord nog als een jonge vrouw zoals zij haar eigen man niet meer opwond? Het was niet alleen kwetsend, het was ondermijnend. Ze was gewend alles wat ze ondernam tot een succes te maken, en het was eenvoudig ondenkbaar dat haar huwelijk zou mislukken. Ineens snakte ze naar Jobs zware, harde lichaam op het hare. Ze schoof haar hand onder haar T-shirt en omvatte haar linkerborst.

De televisie kwaakte maar door. Er werd gesproken over het broeikaseffect en het gat in de ozonlaag, over ontbossing, smeltende poolkappen en de uitstoot van kooldioxide. Nooit hoorde je eens iets nieuws. Felicity leunde tegen de tafel en spreidde haar benen. Haar vrije hand gleed langs haar buik naar beneden. Haar huid begon te tintelen. Ze hoorde nog net dat er een noodzaak bestond tot een oerdialoog met de natuur, zoals Hopi-indianen en aborigines die kenden. Respect voor de aarde. Het spirituele ontwaken.

'Het lijkt wel een nieuwe godsdienst,' sprak een deskundige in de studio zuinig.

'Ja, en met een erg boetvaardig karakter,' meende een tweede. 'We schamen ons voor wat we onze planeet hebben aangedaan en proberen de natuur nu weer gunstig te stemmen. Het weer van de laatste tijd heeft...'

Felicity bewoog haar vingers langzamer, ze had haar ritme te pakken, haar dijspieren spanden zich, haar hart beukte.

'... beschouwde men natuurrampen zoals deze als instrumenten Gods, net als de ziekten en andere plagen die ons troffen. Maar de gezondheidstoestand van de wereld valt niet meer aan de luimen van een opperwezen toe te schrijven. We weten nu dat wij zelf...'

'... en doordat Gods rol als verantwoordelijke voor ons welzijn dientengevolge is uitgespeeld, is hij...'

'... zien we wat er gebeurt als het opperwezen wordt ontdaan van zijn luister en zijn macht. Een onbestuurd en onbestuurbaar universum is het resultaat. Precies wat er nu...'

Felicity loosde een lange zucht. Ze bedwong de neiging aan haar vingers te ruiken. Terwijl ze wankel ging staan, vernam ze dat op pagina 219 van Teletekst de fax- en e-mailnummers waren te vinden van de regionale coördinatoren bij wie men zich kon aanmelden voor de cursus Luisteren Naar Bomen en de workshop Vind De Boom In Jezelf. Wie meteen via girotel of met een persoonlijke creditcard betaalde, kreeg een substantiële korting op het cursusboek *De catechismus der natuur*.

Toen begon het volgende item, een gesprek over nieuwe vruchtbaarheidstechnieken die het vrouwen mogelijk maakten na de overgang nog zwanger te worden.

Op dat moment werd er aan de deur gebeld.

Felicity keek uit het keukenraam. Er stond een blauwe bestelwagen op het erf. Zich bewust van haar naakte lichaam onder het wijde T-shirt liep ze naar de deur. 'Goedemorgen,' riep ze.

Twee mannen. Een van hen tikte aan een denkbeeldige pet. 'We komen voor de installatie van de pomp in uw put,' zei hij.

'Ach, net nu mijn man er niet is.' Het deed haar genoegen een zin uit te spreken met 'mijn man' erin, en ze rechtte haar schouders.

'Nou, ik heb het laatst goed met hem doorgenomen.

Ik weet precies waar ik wezen moet,' zei hij, terwijl hij een blik langs haar benen liet glijden. 'Misschien wilt u even meelopen om ter plaatse te kijken of...' Zijn stem stierf hulpeloos weg en Felicity zakte wat door haar linkerheup.

'Of wat?' vroeg ze.

De tweede zei: 'We zullen namelijk nogal wat overhoop moeten halen, dus misschien zijn er planten die u in veiligheid gebracht wilt hebben.'

Die dacht dat hij ongevoelig was voor haar charmes. De halsopening van haar T-shirt was anders min of meer bestemd om op natuurlijke wijze van een schouder te glijden. Ze zei: 'Ach nee, in de buurt van die put groeit toch niets. Gaat u maar gewoon aan de slag. Kan ik iets te drinken voor u halen?'

'Colaatje, graag,' zei de koele.

De ander zei niets.

Felicity draaide zich om en ging naar binnen. Uiteraard was er geen cola in huis. Straks zou ze die twee een glas ijsthee brengen.

Het zat haar niet lekker dat die ene kerel zo onverschillig op haar had gereageerd. Maar het was waar dat ze haar conditie de laatste tijd behoorlijk had verwaarloosd. Zou dat soms ook de reden zijn waarom Job zo lauw deed? Direct was het alsof ze alweer wat gemakkelijker ademde. Wat een nonsens te denken dat ze werkeloos zou moeten afwachten totdat hij zin in haar kreeg! Ze zou weer de oude Felicity worden op wie hij was gevallen. Het liefst was ze nu regelrecht naar het fitnesscentrum gegaan, maar ze zou moeten wachten totdat die mannen klaar waren. Om vast wat lui zweet kwijt te raken zou ze het atelier misschien eindelijk eens een grote beurt kunnen geven.

Het vooruitzicht het laatste vertrek van het vervuilde huis te lijf te gaan beurde haar nog verder op. Ze zou het verleden wegpoetsen. Ze verzamelde emmers, een dweil, een spons en een zeem en sleepte die samen met de stofzuiger naar het atelier. Eerst lapte ze de hoge ramen. Ze zong terwijl ze spinnenwebben en aangekorst vuil uit de sponningen verwijderde. Tot vier keer toe moest ze schoon water tappen, maar toen blonken de ruiten haar tegemoet. Als messteken zo scherp viel het witte licht naar binnen. Job zou zeggen... wat zou hij zeggen? Ze had eenvoudig geen idee. Een hulpeloze drift steeg haar naar het hoofd. Schilders hadden licht nodig, dat wist iedereen.

Bezweet leunde ze tegen een vensterbank. Om haar blote voeten vlokte het stof. Dat zag je nu des te beter. Overal stonden roestige verfblikken, potten die ooit terpentijn hadden bevat maar nu uitgedroogde kwasten, koffiekopjes met peuken erin; er lagen lege drankflessen op de vloer en open tubes die lak en lijm lekten. Maria had de boel hier weleens wat beter kunnen bijhouden.

Maria! Ze verbeet een zucht. Hoe zou Job Claudia ooit kunnen vergeten zolang hun gezamenlijke dochter hier rondliep?

In een opwelling wendde ze zich tot de ezel waarop *Maria's wereld* stond en trok de lap weg waarmee haar man het schilderij elke avond zorgzaam toedekte. Met een huivering plantte ze haar wijsvinger als de loop van een pistool tussen Maria's schouderbladen. Onder haar vingertop gaf het linnen een fractie mee, en even verwachtte ze de gestalte in de groene jurk plat in het gras te zien vallen. Alsof het zo gemakkelijk was Claudia's dochter omver te duwen. Al die *Maria's* waren niets anders dan een hommage aan een dode. Dat ze dat nu pas begreep.

Buiten klonk het ploffende geratel van een op gang komende pneumatische boor, en betrapt keek ze op. Ze zag de mannen achter in de tuin bezig bij de put. Job en zijn zwavel! Weer zoiets. Waarom liet hij niet liever zo'n centrale sproei-installatie aanleggen die op grondwater werkte? Als je de kraan opendraaide, kreeg je tegenwoordig alleen nog maar een zeikstraaltje. En daarmee had je dan 'Claudia's rozen' in leven moeten houden!

Schichtig dekte ze *Maria's wereld* weer af. Maar het blinken van de ramen kon ze niet ongedaan maken, het zou haar verraden. Ze wierp een blik op haar horloge. Ze repte zich naar de keuken, pakte eieren en meel en begon het deeg voor een quiche te kneden. Ze zou voor Job een vulling maken van paprika, uien en olijven. Maria had hem altijd veel te veel koolhydraten en vetten gegeven.

'Mevrouw?'

Ze draaide zich om naar de open deur. Het was de onverschillige van het tweetal.

'Even over het elektra,' zei hij. 'We moeten vanwege de pomp straks namelijk een leiding doortrekken. Nou zie ik al dat uw meterkast hier bij de deur zit, mooi, dan kunnen we die kabel vlak langs het huis ingraven, alleen, ja dat is onvermijdelijk, dan komen we in conflict met dat perk daar.' Hij wees naar de border met dode theerozen.

Ze bedacht hoe aangenaam verrast Job zou zijn als hij thuiskwam en de pomp was geïnstalleerd. 'Geen probleem, hoor,' zei ze. 'Die planten moesten er toch uit. Ga gerust uw gang.'

DECEMBER

Een week voor Sinterklaas begon Xandra's zwangerschapsverlof. Plichtsgetrouw ging ze 's ochtends vroeg naar de babykamer en trok de laden van de commode open. Die paar truitjes: het was niets als je het met je eigen garderobe vergeleek. Felicity had laatst gezegd dat ze in Oude Brug een doos met kinderkleertjes van Cas had gevonden. Misschien moest ze die maar gaan ophalen. Maakte ze ook weer eens een goede beurt bij Cas.

Het was een sombere, stormachtige maandagmorgen. Gedurende de hele rit over de dijk moest Xandra het stuur van de auto vanwege de rukwinden stevig vasthouden. Stapvoets reed ze langs de drooggevallen ringvaart. Er groeide al maanden geen gras meer in de berm, en de wind blies de losse aarde in nijdige vlagen over het asfalt. De weinige populieren die er nog stonden, hielden hun zwiepende takken smekend naar de hemel geheven, want ofschoon de thermometer sinds begin november eindelijk weer normale waarden liet zien, moest de eerste druppel nog vallen. Zelfs de onbewolkte lucht was dor, vaal, een moedeloos soort grijs, als van zeer oude, gebarsten leien dakpannen.

Het erf van de Olsons was veranderd in een zanderige woestenij. Xandra parkeerde haar auto; het stof woei in haar ogen toen ze uitstapte. Met gebogen hoofd repte ze zich, voor zover haar buik dat toeliet, naar het atelier achter het huis. Zonder kloppen viel ze binnen, voortgestuwd door een windstoot die alles deed klepperen en rammelen.

'Hallo... o sorry,' zei ze buiten adem.

Felicity zat naakt op de grond.

'Kom erin,' zei ze vriendelijk. 'We wilden toch net even stoppen.' Soepel kwam ze overeind, raapte een ochtendjas van de vloer en sloeg die om. 'Ik zal de ketel opzetten,' zei ze terwijl ze naar de deur liep. 'Job, pak jij er een stoel bij? Ik ben zo terug.'

'Moment,' zei Job van achter zijn computer. 'Ik moet dit eerst saven.' Toen wendde hij zijn ogen van de monitor af en nam Xandra korzelig op. Het viel haar op hoe verfomfaaid hij eruitzag, alsof hij in zijn kleren had geslapen. Hij ook al. Bij de herinnering aan de afgelopen nacht kon ze zich niet langer goed houden. Ze barstte in tranen uit.

Job verroerde zich niet. 'Geen gegrien,' zei hij vermoeid. 'En ik waarschuw je: als je uit bent op een goed gesprek, kun je volgens Fee nog beter tegen een muur aanlullen dan tegen mij. Hoor je trouwens niet op je werk te zijn?'

Ze snoot haar neus. 'Nee, mijn verlof is begonnen. Ik ben over vier weken uitgerekend.' In een zwakke poging tot een grap voegde ze eraan toe: 'En ik kan mijn voeten nu al niet eens meer zien.'

'Nou en? Wat kunnen je voeten je in jezusnaam schelen? Had je daar anders de hele tijd met je neus bovenop gezeten?' Hij nam een pakje shag van de tafel en draaide een sigaret.

Ze visualiseerde de bronzen deur met daarachter de trap van het Commitment, ze sjokte het hele trappenhuis van de Positieve Affirmatie door, zette beneden het televisietoestel aan en zag zichzelf levensgroot op het scherm, wellustig rookwolken uitblazend. Ze vroeg: 'Wil je er voor mij ook een draaien?'

Hij trok een stoel bij en ze rookten een tijdje zwijgend. Buiten loeide de wind. Af en toe klonk vlak boven het atelier het ruzieachtige krijsen van een troep eksters of Vlaamse gaaien. Net Cas. Cas met zijn gevit en zijn eisen.

'Als je nou weer gaat janken,' zei Job, 'dan is daar het gat van de deur.' Toen reikte hij naar de monitor van zijn computer en draaide die in haar richting. 'Zeg liever hoe geweldig ik ben. Kijk, *Godin VII*. Productie maken is geen probleem met dit ding.'

Ze staarde naar het beeldscherm, waarop Felicity enigszins ineengedoken op haar hurken zat, licht steunend op haar vingertoppen, als een hordeloopster vlak voor de start, gespannen als een veer. Het was alsof de spieren onder haar gestroomlijnde benen vibreerden, en heel haar volmaakte lichaam straalde een onaardse glans uit.

'Een gelukkig huwelijk tussen model en medium, vind je niet?' zei Job. 'Dichter bij de perfectie kun je niet komen.'

Xandra voelde zich groen, harig en wanstaltig.

Hij maakte zijn sigaret uit en vestigde zijn priemende blik op haar. Triomfantelijk zei hij: 'Bits en pixels en een verdomd dure interface. Geen gesodemieter meer met aan verval onderhevige verf en linnen, nee, gewoon opslag op een harde schijf. Dit werk kan de hele eeuwigheid mee. We hebben het over onsterfelijke, onvergankelijke kunst, mevrouw.'

'Wat opwindend,' zei ze onzeker. Ze constateerde dat ze de *Maria's* mooier vond. Zo te zien werd er niet meer aan gewerkt: de doeken stonden netjes bij elkaar geschoven tegen de muur, als lastige kinderen die voor straf in de hoek waren gezet.

Job zag haar kijken, en er viel een stilte. Alles wat er was gezegd, leek ineens opgeschroefd, koortsachtig en onecht.

'Help me even,' riep Felicity. Omzichtig manoeuvreerde ze een grote kartonnen doos naar binnen waarop drie dampende bekers wankelden. 'Ik heb meteen die babyspulletjes voor je gepakt.'

'Wat goed, daar kwam ik net voor,' zei Xandra terwijl ze opstond om een hand toe te steken.

'Moet je kijken.' Felicity haalde een klein blauw truitje te voorschijn. Ze lachte vertederd. 'Die Cas! Maatje nul.'

'Ik ga even mijn benen strekken,' kondigde Job aan.

Felicity wachtte totdat hij het atelier had verlaten en zei toen: 'Die is als de dood dat ik op ideeën word gebracht.'

'Maar zou jij dan...'

'Het zou heel goed zijn voor Job. Hij is de laatste tijd... je weet wel, sedert die toestand met... en trouwens, hij verdient een herkansing, na Maria.'

Hij staat op het punt overgrootvader te worden, wilde Xandra tegenwerpen. Het is niet natuurlijk! Maar ze zei: 'Als je maar weet dat zo'n zwangerschap niet meevalt. Je voelt je continu belazerd. Het is het ene kwaaltje na het andere.'

Felicity blies in haar thee. 'Je weet toch wel dat je met de juiste instelling zelfs kanker kunt voorkomen? Echt, je kunt net zo fit zijn als je wilt. Het is gewoon een mentale kwestie. We creëren allemaal onze eigen...'

'Ik weet het,' onderbrak Xandra haar kribbig. Ze was graag bereid geloof te hechten aan de fysieke wetten van oorzaak en gevolg, aan het belang van hygiëne, het bestaan van virussen, bacteriën en cholesterol, maar verder ging ze niet. Dat verdomde ze. Wanneer, dacht ze kwaad, hebben we onszelf opgezadeld met de overtuiging dat we overal controle over hebben? Cas zou zeggen dat alle zwangere vrouwen zulke gedachten hadden. Cas, de expert. Vanaf het moment dat hij zijn zaad in haar had geplant, waande hij zich, als schenker van leven, zo ongeveer Gods evenknie. Maar Xandra wilde het goddelijke helemaal niet tot Cas' maat teruggebracht zien. Ze wilde samen met haar zoon naar de maan en de sterren kijken en hem zien verbleken van ontzag. Cas zou met zijn logische verklaringen alles voor Jason bederven. De bewegingen van de planeten hadden voor haar man niets geheimzinnigs: tot in alle uithoeken was de onbewoonde kosmos immers door satellieten in kaart gebracht. Hun kind zou straks geboren worden zonder dat een opperwezen met welgevallen op hem neerkeek; in plaats daarvan zou een deskundige van de gender-kliniek zijn genitaliën controleren en baby Olson daarna op zijn clipboard bijschrijven op de lijst geslaagde chromosomenmanipulaties.

Beschermend vouwde ze haar handen om haar buik. Het verhaal van de tovenaarsleerling schoot haar te binnen. Ze moest een huivering onderdrukken.

'Ik zeg het je maar, in alle vriendschap,' zei Felicity goedhartig. 'Cas had zich enorm op deze periode verheugd, en nu ben jij de hele tijd...'

'Cas wil maar één ding,' antwoordde ze mat. 'Hij moet met eten al genoeg afzien, zegt hij, en nou zet ik hem met de seks ook nog op een droogje. Maar met die dikke buik heb ik gewoon geen zin. Zeg nou zelf, Felicity, zou jij...'

Op dat ogenblik kwam Job het atelier weer binnen. 'Kunnen we verder gaan?' vroeg hij op geprikkelde toon aan zijn vrouw.

'Ik ben al weg,' zei Xandra, naar de doos grabbelend. 'Weet Maria trouwens dat ik deze spullen meeneem?'

'Ze heeft rijles,' zei Felicity. Ze liep naar de hoek van

het atelier en wierp haar ochtendjas achteloos over de bijeengeschoven *Maria's*.

Volgens artikel 151 van het Wetboek van Strafrecht stond er twee jaar gevangenisstraf of een geldboete in de vierde categorie op het begraven, verbranden, vernietigen of verbergen van een lijk, had de in allerijl opgetrommelde advocaat gezegd. Maar die sancties golden alleen als je het oogmerk had gehad het overlijden van de betrokkene te verhelen, als er kortom sprake was van een misdrijf. In het geval van een natuurlijke dood was louter de Wet op de Lijkbezorging van kracht, die het de burger verbood zijn dierbaren naar eigen willekeur te begraven, zonder dat daar overigens een omschreven strafmaat op stond. De officier van justitie zou dan ook zeker mild zijn, al was het maar om geen ruchtbaarheid te geven aan deze maas in de wet.

Bange bureaucraten, dacht Job minachtend. Toch liep hij vaker dan anders naar de brievenbus om te kijken of er al bericht was over het gerechtelijk vooronderzoek. Bovendien sliep hij beroerd.

Ook vannacht was het weer raak. Op het moment dat hij zijn ogen opende, wist hij dat de slaap niet meer terug zou komen. Een blik op de wekkerradio leerde hem dat het vier uur was, nooit een gelukkig tijdstip om wakker te worden. In het donker kon hij zijn slippers niet vinden en inwendig vloekend schuifelde hij, tastend langs de muur, naar de deur. Ik ben met blindheid geslagen, dacht hij, want mijn ogen hebben gezien wat verborgen had moeten blijven in de schoot der aarde.

Toen stond hij op de gang, knipte het licht aan en begaf zich naar de keuken om wat melk warm te maken. Zijn handen trilden en hij morste terwijl hij zijn beker volschonk. Ook nog Parkinson. Hij deed een flinke scheut rum in de melk en dacht aan de verrassend mooie enkels van de vrouwelijke patholoog-anatoom die bij de omgewoelde rozenborder had gehurkt. De commotie op zijn erf. Blauwe zwaailichten, mensen van het gerechtelijk laboratorium, en dat alles alleen maar omdat je tientallen jaren geleden je eigen vrouw had begraven.

De aanblik van Claudia's gebeente in de zwarte aarde had hem heviger aangegrepen dan hij ooit zou hebben gedacht. Vooral haar haren, die in een doffe krans om haar ontvleesde schedel lagen, hadden zijn keel dichtgesnoerd. En haar middenvoetsbeentjes, zo nietig en broos. Snel nam hij een slok hete melk om zijn emoties de baas te blijven. Het ging om de feiten. Claudia's graf was een feit. De rest was slechts verwarring, net als de gesprekken met Fee, waarin elk woord zijn uiterste best deed iets anders te betekenen dan hij had bedoeld.

Nu was het graf geruimd. Ze hadden Claudia in een zware plastic zak geritst en haar, na de gerechtelijke sectie, in het belang van volksgezondheid en hygiëne overgebracht naar crematorium Westerveld: lijken lekten immers vocht dat in het grondwater terechtkwam en dus uiteindelijk in het drinkwater, had een van de rechercheurs uitgelegd, die met het vollemaansgezicht, degene die het meest verlegen leek met de toestand.

Felicity was bleek weggetrokken bij die mededeling. 'Ver voor jouw tijd was ze al vergaan, hoor,' had Maria scherp gezegd.

Hij had geen idee gehad wat er in zijn dochter omging. Tijdens de crematie, in het bijzijn van twee rechercheurs, zat ze met een ondoorgrondelijk gezicht naast hem in de doodstille aula. Net toen de kist zakte en het hem leek dat hij zijn hand op de hare moest leggen, werd hij de verafschuwde warme sensatie in zijn kruis gewaar, en gekrenkt en vernederd bleef hij roerloos zitten.

'En nu, heren,' zei Maria na afloop kortaf tegen de vertegenwoordigers van justitie, 'nu nemen we mijn moeder gewoon weer mee terug naar huis.' Destijds had hij het graf gedolven, nu ondertekende zij het formulier van de asbestemming en koos zij een urn uit.

Een azuurblauwe urn.

'En zetten jullie die dan op de schoorsteenmantel?' vroeg Fee thuis in tranen.

'Die strooien we leeg in de tuin,' antwoordde Maria.

'We gaan er geen hele ceremonie van maken,' zei hij snel tegen zijn vrouw.

'Dat hebben we de vorige keer per slot van rekening ook niet gedaan,' zei Maria.

'Maar het staat hier zwart op wit!' riep Felicity uit, met een radeloze klap op het formulier van het crematorium. 'Je mag de as wel meenemen naar huis, maar die mag je niet zomaar ergens verstrooien! Daar hebben ze van die speciale veldjes voor! Of boven zee, dat mag ook.'

'Ach Felicity,' zei Maria zonder te luisteren.

Om het weer goed te maken liet Job zijn vrouw voor zich poseren terwijl hij het nieuwe computerprogramma uitprobeerde dat Cas hem, onhandig zwijgend, na afloop van de affaire was komen brengen. Maar al werd Fee's hartenwens nu vervuld, ze bleef mokken. Verdomde wijven. Hij voelde zich door hen in het nauw gedreven, door alle drie. Want ook Claudia zat hem in meer dan één opzicht dwars. Een mens bestond voor tachtig procent uit water, hijzelf na zijn zwavelkuur vermoedelijk voor nog meer. De vergelijking met een zeker christelijk kannibalistisch gebruik, een heilig sacrament genaamd, drong zich hardnekkig op. Neem en eet, want dit is mijn lichaam. Leefde Claudia voort door hem – of hij door haar? Wat stelde dit alles voor? Hij wist niet wat hij moest denken. Maar misschien was er geen betekenis, misschien was er alleen het verlangen altijd overal betekenis aan toe te kennen, opdat de chaos werd geordend en er in iets te geloven viel.

Toen Maria ten slotte het zegel van de urn verbrak, op de dag van haar keuze, was hij opgevreten door de spanning. Hoe vaak, had Felicity gesnierd, ben je in totaal eigenlijk van plan afscheid van Claudia te nemen voordat je haar eindelijk laat rusten? Je hebt vast nog wel een methode onbeproefd gelaten!

Met zijn handen diep in de zakken van zijn jasje stond hij naast Maria in de tuin. Ze keek even belangstellend naar de inhoud van de urn en zei toen: 'Ik herinner me niets meer van haar. Jij nog wel?'

'Niet veel,' zei hij behoedzaam.

'Op een dag zijn ook wij vergeten. Dat is blijkbaar de bedoeling. Ga jij nou trouwens nog verder met de aanleg van die pomp?' Ze keek hem levendig aan en hij besefte dat ze precies wist wat er in hem omging.

'Het lijkt me niet dat we nog iemand zullen vinden die hier een spade in de grond wil steken,' antwoordde hij, opgelucht over haar kalmte.

Bij de keukendeur keek Felicity vanaf veilige afstand toe. Waarschijnlijk dacht ze dat zij tweeën nu woorden van gepaste eerbied spraken.

Op gedragen toon zei hij: 'Het spijt me dat je je moeder zo jong al hebt moeten missen.'

'Ik had jou toch? Nou, zullen we maar?' Ze stak hem de urn toe.

'O,' zei hij confuus. 'Ik had de indruk dat jij dit keer zelf...' De kleine Maria doemde voor hem op, met haar sneeuwklokjes, haar vervilte konijn, haar vuile wangen en ongekamde haren. *Maria neemt afscheid* had hij het doek genoemd. Tempera 321/4 × 473/4 inch; Museum of Modern Art, New York, bekend als zijn eerste *Maria*.

Ze zei: 'Nee zeg, ik hoef niets met die as.'

Ze wisselden een verbouwereerde blik. 'Wat staan we er hier dan mee?' vroeg hij ontstemd. 'Fee helemaal over de rooie, maar ik dacht: dat moet dan maar als Maria per se...'

'Ik deed het voor jou!' Ze duwde hem de urn in de handen. 'Jij hebt mijn moeder immers beloofd dat zij hier... en gezien jouw heilige principes was ik bang dat je het crematorium zou slopen als ik niet in actie was gekomen.'

'God bewaar me! Heb je weleens van overleg gehoord?'

'Alsof jij zo'n democraat bent.' Ze trok haar kruk uit het zand, plantte hem zijwaarts en draaide zich om.

'Hier blijven!' Hij was buiten zichzelf. 'Dit heb je me de vorige keer ook al geflikt!' De wind rukte de woorden uit zijn mond en blies ze alle kanten op.

'Tiran!' riep ze over haar schouder. 'Ik deed het voor jou. En waarom moest je haar eigenlijk zo nodig hier begraven? Kun je dan nooit eens iemand loslaten?' Stram en toch behendig zette ze zich weer in beweging.

Het flitste even door hem heen dat ze er nu voorgoed vandoor ging. Met de geopende urn in de hand rende hij haar achterna. Maar bij de keukendeur blokkeerde Felicity hem de toegang. Gedempt zei ze: 'Eruit met die... je morst, je morst overal!' Met één moeiteloze duw, die hem ineens deed beseffen hoeveel sterker ze was dan hij, stootte ze hem naar buiten.

Verdwaasd sjokte hij terug naar de plaats die zijn dochter had uitgekozen, bij de zieltogende haag van laurierkers. Hij keerde de urn om, hield zijn hand eronder en liet de as langzaam door zijn vingers stromen, als zand door een zandloper. Het was een half mensenleven geleden. Wat zou hij het nog ontkennen: hij werd oud.

Elke bocht bracht nieuwe aanstormende gevaren, had Maria gemerkt sinds ze zelf achter het stuur zat. Zelfs na een half dozijn rijlessen was ze nog niet opgewassen tegen dit perspectief. Ze voelde zich zo plat als een dubbeltje, alsof er aan haar een dimensie ontbrak die de andere deelnemers aan het verkeersgewoel wel bezaten en die hen zelfverzekerd deed claxonneren en inhalen.

'Ik ga vandaag vast brokken maken,' zei ze strak tegen haar instructeur. 'Ik voel het gewoon.'

'Welnee. Sla hier maar rustig linksaf.'

Ze trapte zo abrupt op de rem van de gele Volvo dat de veiligheidsgordel blokkeerde en de klokken en meters op het dashboard voor haar ogen dansten.

'Toe maar. In je spiegels kijken. En gas geven.' Hij was een kleine, geduldige man. Rechtsaf, mop, je weet wel, rechts is waar je duim links zit. Zijn stoel was bespannen met een kralen matje; voor de circulatie, zei hij.

Hortend en stotend trok de auto weer op. Zij hoorde hier niet. Als haar vader zijn werk niet in de steek had gelaten voor die *Godinnen* van hem, dan zat zij nu veilig voor hem te poseren. Iedere nieuwe dag zonder dat er aan *Maria's wereld* werd gewerkt, was ze zich schimmiger gaan voelen, onwerkelijker en vormelozer, alsof ze niet langer bestond. Alsof de echte Maria zich altijd op het doek had bevonden en zijzelf nooit meer was geweest dan een noodzakelijk attribuut. Misschien had ze daar nog vrede mee kunnen hebben als de ware, definitieve *Maria* zich eindelijk had geopenbaard, maar Job had het, na al die jaren, zonder enige toelichting opgegeven, hij had haar opgegeven. Dat was een gedachte die ook haar rijvaardigheid niet bevorderde, al was ze nu juist lessen gaan nemen om hem te laten voelen dat ze nergens mee zat.

'Keurig voorgesorteerd,' zei haar instructeur. 'Pas je bij die zijstraat op voor weer zo'n ellendige windstoot?'

'Ja,' zei Maria, zich concentrerend.

'Iets meer gas.'

De wind kwam aan als een vuistslag.

'Heel goed. Als je vaart houdt, raak je niet uit de koers.'

'Die zal ik onthouden.' Ze lachte onzeker, versteld van zichzelf. Ze was niet omvergeblazen.

Toen ze de hoek om waren, zag ze Cas aan de overkant van de straat tegen de wind optornen. 'Wat toevallig, daar loopt mijn zoon.' Ze minderde vaart en toeterde.

Cas keek op. Toen hij haar achter het stuur van de lesauto zag zitten, zwaaide hij flauwtjes.

Ze parkeerde langs de stoeprand en draaide haar raampje open. 'Cas!'

Haar zoon stak met wapperende jaspanden over, een ongeduldige trek op zijn gezicht. 'Heb je dat rijbewijs nou nog niet?' vroeg hij bij wijze van begroeting, terwijl hij zich naar het raampje boog.

Haar uitgelaten stemming zakte op slag. Ze wist niet meer waarom ze hem had geroepen. Bedremmeld vroeg ze: 'Heb je lunchpauze?'

'Ik lunch nooit,' zei Cas verwijtend: dat zou zijn eigen moeder toch behoren te weten.

De bekende mengeling van schuldgevoel en ergernis maakte zich van haar meester. Dat eeuwig verongelijkte. Zou hij haar dan altijd alles wat er aan zijn jeugd had geschort blijven nadragen? Job was er toch ook geweest, om vlotten mee te bouwen, iglo's te maken en op bouwplaten aan te wijzen: hier omvouwen. 'Weet je dat je eerste woordje "opa" was?' vroeg ze impulsief.

'Waar heb je het over?' vroeg Cas terwijl hij op zijn horloge keek. 'Ik ben op weg naar een klant.'

'Ach, niks. Ga maar gauw. Alles goed met Sandra?'

'Kon niet beter. Geen centje pijn.' Hij hief een hand. 'See you.'

Maria verbeet een zucht terwijl ze hem nakeek. Ze had altijd gedacht dat het makkelijker zou worden als hij eenmaal oud genoeg was om zich ook eens in haar positie te verplaatsen. Ze had altijd gedacht – en ineens omklemde ze met beide handen het stuur: wat een geweldige wraak heb je genomen, Cas, met je computers: van een schilder van wereldformaat heb je Job veranderd in een onnozele prutser en een pornograaf. Je hebt zijn blik van me weten af te wenden. En wat heb je daarmee bewezen? Dat er in dat grote, weldoorvoede lichaam van jou nog steeds de geest van een klein, tekortgedaan jongetje huist.

'Zullen we maar weer eens een stukje gaan rijden?' vroeg de instructeur, zich tegen zijn kralen schurkend.

'Sorry,' zei ze. 'Maar ik word binnenkort grootmoeder, mijn zoon krijgt een kind.'

'Nee maar! Dat zou ik nou nooit aan je hebben afgezien!' Gemoedelijk gaf hij een klopje op haar dijbeen. 'Rechtdoor maar, tot aan de rotonde.'

Maria voelde de afdruk van zijn hand als een stempel in haar been staan: voor deze man was zij een doodgewone vrouw van vlees en bloed. Voor hem was ze geen tweedimensionale afbeelding die hulpeloos zat ingeklemd in haar vaders strenge kadrering, veroordeeld tot de vierkante centimeters die Job haar had gegeven. Ze draaide aan het stuur, zich plotseling scherp bewust van de bewegingsvrijheid die de auto haar verschafte. Binnenkort kon ze wanneer ze maar wilde naar Zandvoort, of zelfs naar Maastricht. En opeens kon ze zich niet meer voorstellen waarom ze ooit had gedacht dat haar leven niet meer was dan de aanleiding voor een serie schilderijen. De ware Maria waarop zo lang was gewacht: wie kon dat anders zijn dan zijzelf?

'Hoeveel lessen zou ik nog nodig hebben?' vroeg ze ademloos.

'Aha. We krijgen haast.'

'Een beetje reizen lijkt me wel leuk.'

'Alleen blijft het voorlopig nog klereweer, overal, zeggen ze. Wat is er toch met de wereld aan de hand?'

'Er was vroeger vast ook al van alles mis met de wereld,' antwoordde ze. Alleen *Maria's wereld* was overzichtelijk geweest, rechthoekig en plat, als in de Middeleeuwen. En daar had zij al die tijd onwetend op haar buik gelegen, onkundig van wat er zich over de rand, buiten haar blikveld, bevond.

Ze drukte het gaspedaal in. De motor gehoorzaamde ronkend.

'Ja, rij maar even goed door, want op dat plein daar krijg je straks weer een klap van de wind.'

De meter schoot van veertig naar vijfenvijftig. Geen gek vaartje voor een lammepoot. Een automatische versnellingsbak en je was even wendbaar als ieder ander. Klein gebrek en huidskleur geen bezwaar. Had niet iedereen zijn mankementen? Was het geen been, dan was het wel iets anders, een vals gebit, slechte ogen, haaruitval, pijn van korte of langere duur. Het lichaam was per definitie een bron van ellende: het takelde af en stierf, alleen dat al. Bijna lachte ze hardop. Zij een uitzondering? Om welke reden? Vanwege het verdriet dat ze niet had verwacht en niet meende te verdienen? Je hoefde maar een *Libelle* open te slaan en het eeuwige 'Waarom ik?' sprong je in het gezicht, het fundamentele, essentiële niet-begrijpen, de eenzaamheid, het kraken en kreunen, het tegenstribbelen en berusten, de hoop en de wanhoop, maar toch altijd het dappere doorgaan, al was het zonder te weten waarheen. Dat onverwoestbare van alle mensen.

En terwijl ze soepel met meer dan zestig kilometer per uur de rotonde op draaide, zag ze ineens de *Maria's* voor zich, haarscherp, stuk voor stuk, hangend in hun hoge witte zalen; ze hoorde voeten schuifelen, de kuch van een verveelde suppoost. Nu de rollen tussen haar beeltenis en haarzelf zogezegd waren omgedraaid, nu haar leven niet meer van de *Maria's* afhing en de doeken voor haar part in hun lijsten mochten verbleken, pas nu begreep ze dat haar vaders werk eenvoudig de menselijke conditie weergaf.

Geen van zijn schilderijen zou ooit vervliegen of vervagen, niet zolang er nog iemand was die er de ogen naar opsloeg.

'Goed gas geven,' spoorde haar instructeur aan.

'Oké.' In haar spiegel zag ze een vuilwitte vrachtwagen snel naderbij komen. Krampachtig hield ze het stuur vast, maar de auto stampte en protesteerde tegen de zijwind.

'Gas!'

Te laat realiseerde ze zich dat de wielen de grond niet meer raakten. Stuurloos wachtte de gele Volvo op het passeren van de vrachtauto die zojuist nog in de platte rechthoek van haar spiegel vervat was geweest. Banden gierden. Toen was er een schel gespetter van licht. De voorruit versplinterde in één klap, en terwijl het leek alsof zij met auto en al over de rand van de wereld werd geslingerd, hoorde ze in de verte haar vader brullen: 'O ja, ezel? De wereld is anders rond!'

'Felicity,' zei Cas, 'jij bent het beste dat deze familie ooit is overkomen. Jij bent de eerste met een beetje kijk op mijn metabolisme.' Hij bediende zich met grote scheppen van de soufflé die geurend en dampend op tafel stond in de keuken waarin hij zijn jeugd had doorgebracht. Het assortiment apparaten dat zijn grootvader altijd 'handige dingetjes' had genoemd, had plaats gemaakt voor Felicity's verzameling bergkristallen en stukken boomschors, en op de ouderwetse koelkast met de bolle deur, waaraan altijd zijn moeders kindertekening van de hemel had gehangen, was nu een affiche met sereen glimlachende dolfijnen geplakt. 'God de Vader geklopt door moeder Natuur,' had Job eens grijnzend gezegd.

'Tja Cas,' antwoordde Felicity, 'van evenwichtig eten kun je eenvoudig niet aankomen. Zelfs jij niet. Hier Xandra, tast toe.'

'Moeten we niet op Job wachten?' vroeg Xandra.

'Ik heb hem geroepen. Laat de boel niet koud worden.'

Even wist Cas het gevoel van onbetamelijkheid te onderdrukken dat sinds zijn moeders ongeluk de kop opstak wanneer hij in Oude Brug op bezoek kwam en eindigde achter een groot bord eten. Hij nam een hap van de soufflé. Fenomenaal. Keep spooning, Cas. Maar ineens, en zo was het de afgelopen drie dagen steeds gegaan, verloor hij zijn eetlust. *Weet je dat je eerste woordje 'opa' was?* Wat had ze daarmee willen zeggen, vijf minuten voordat ze door die vrachtwagen geschept werd? Dat hij altijd meer van Job had gehouden dan van haar?

Als hij vroeger op zijn zwenkende beentjes onstuimig

was komen aandribbelen, de armen uitgestrekt, was hij altijd op zijn moeder afgeketst, als een tennisbal op een racket. Ga maar met Job stoeien. Hij had geslapen in de kromming van Jobs arm, op Jobs vingers gebeten toen zijn tanden doorkwamen. Hij herinnerde zich Jobs harde ribbenkast beter dan zijn wieg. Jobs lichaam had zich in het zijne geprent, niet het hare.

'Is Job oké?' vroeg hij.

'Hoe het met Job gaat, weet alleen Job. Neem sla, Cas.'

Hij verstrakte. Doe dit, doe dat. Hij maakte zelf wel uit wat hij at.

'Wat heb je?' vroeg zijn vrouw. 'Je wordt gewoon paars.'

'Hier,' zei Felicity sussend, terwijl ze hem haar verdomde zelfgebakken tiengranenbrood toeschoof.

'Cas?' zei Xandra dringend. 'Geef door. Je krijgt er spijt van.'

Felicity schudde het hoofd. 'Dit is nou echt een negatief patroon, Xandra. Zolang hij denkt dat koolhydraten slecht voor hem zijn, blijft hij er dik van worden. Het is echt mind over matter.'

Power to the people, dacht hij, razend.

Felicity legde een stuk brood op de rand van zijn bord. 'Toe maar, Cas.'

'Als je tenminste een plofkont wilt,' zei Xandra.

'Cas zijn kont,' zei Felicity resoluut, 'is Cas zijn eigen verantwoordelijkheid. En als hij in dit leven dik moet zijn, dan heeft dat een betekenis.'

'Wat bedoel je?' vroeg Xandra terwijl ze een hap sla nam. Het waren raapstelen vandaag, met een yoghurtdressing. Uit haar mondhoek hing een groen sliertje dat ze snel met de punt van haar tong naar binnen hengelde. Ze deed Cas aan een reptiel denken.

'Wat ik bedoel?' zei Felicity verbaasd. 'Zo werkt dat nu eenmaal volgens de wetten der reïncarnatie. Tussen je incarnaties in overzie je telkens even als het ware het hele kaartspel van al je levens. En dus bepaal je op dat moment zelf wat voor ervaringen je nog nodig hebt om je karma verder uit te werken. En dan kies je voor je volgende geboorte precies die ouders en die omstandigheden uit die je doel zullen verwezenlijken.'

Onthutst dacht Cas: heb ik dat ook gedaan?

Zijn moeder had er, op haar gebruikelijke onomwonden manier, nooit een geheim van gemaakt. Het was een trouweloze klootzak, Cas, iemand aan wie we verder geen woord vuilmaken, want zo'n vader wil je helemaal niet kennen.

Xandra barstte in lachen uit. 'Nou, met die onzin ga ik Jason niet opvoeden, hoor.'

'Zeg, daar heb ik ook een stem in,' zei Cas.

Zijn vrouw hield op met lachen. Ze keek hem zijdelings aan en hij zag een blik in haar ogen die hem aan zijn moeder deed denken: het was een waardeloze joker, J.O., we zullen maar niet te lang bij hem stilstaan. Ze trok een schouderbandje van haar reusachtige overal recht en zei tegen Felicity: 'Alsof een mens het kan helpen wat er in zijn leven gebeurt! Neem nou oorlogen of...'

Felicity nam een slok van haar biologisch-dynamische wijn. Vol overtuiging zei ze: 'Zes miljoen mensen kunnen gelijktijdig hetzelfde karma willen zuiveren.'

Xandra duwde haar bord van zich af. 'Hè jasses. Er bestaat toch ook gewoon domme pech, en toeval? Er gebeuren soms dingen die je...'

'Toeval bestaat juist niet. Zulke excuses gaan immers niet meer op als je eenmaal beseft dat je alles zelf hebt beschikt.'

'Straks beweer je nog dat Maria haar lamme been aan zichzelf te danken heeft.'

Felicity glimlachte. 'Dat vind jij zeker te hard klinken?'

'Er bestond in haar jeugd gewoon nog geen algemeen vaccinatieprogramma! Mensen kregen toen nog polio, net als vroeger de pest, of tuberculose, of wat hadden ze allemaal!'

'Maar waarom wil je niet geloven dat iemands geluk of ongeluk in wezen zijn eigen werk is? Het is toch zo dat we ons bestaan zelf op allerlei manieren vorm geven? Ik noem maar wat: hoe kom jij anders aan...'

Xandra klopte op haar buik. 'Nou, ik kan je wel vertellen dat ik sinds ik zwanger ben, heel anders tegen zulke dingen aankijk.'

'... hoe kom jij anders aan die neus van je?'

'Een-nul,' bracht Cas in.

'Nee maar,' zei Xandra zich vol verachting tot hem wendend. 'Die neus heb jij me zelf gegeven, Casper Olson.'

'Dat doe jij nou altijd, weet je dat? Mij de schuld in de schoenen schuiven!'

'We dwalen af,' zei Felicity sussend. 'En dit lijkt me ook niet de tijd en de plaats om...'

'Nee, inderdaad,' beet Cas zijn vrouw toe. 'Denk liever aan mijn moeder in plaats van bonje te schoppen.'

'Dat is nou echt de schijnheiligheid ten top. Jij zit je hier vol te proppen terwijl zij...'

'Ze slaapt,' zei Felicity.

Hij ontplofte bijna. Volproppen! Twee happen had hij genomen! Xandra had al net zo weinig oog voor hem als zijn moeder: *Heb je lunchpauze, Cas?* En ineens drong tot hem door dat hij met het duplicaat van Maria was getrouwd. En op hetzelfde moment wist hij dat hij een daad moest stellen om, zoals dat blijkbaar heette, dat karma van hem te zuiveren. Want pas dan zou zijn volwassen leven kunnen beginnen.

Vanuit zijn atelier, dat haaks op het huis stond, kon Job het licht in Maria's slaapkamer zien branden. Zolang zijn dochter daar met haar gebroken ribben lag, had hij gezegd, kon hij Fee geen antwoord geven op haar ultimatum. Ze moest begrijpen dat hij Maria onder deze omstandigheden niet voor het blok kon zetten.

'Maar voor jezelf kun je toch vast een besluit nemen?' had ze halsstarrig gevraagd.

Hij merkte dat hij zich opwond. Ander onderwerp.

Maar er waren geen andere onderwerpen. Zelfs het schrijven dat hij vandaag van het parket van de officier van justitie had ontvangen, met de mededeling dat het gerechtelijk vooronderzoek geen reden tot vervolging had opgeleverd en de zaak-Claudia Olson derhalve was geseponeerd, zou hem, als hij Felicity erover inlichtte, naar hetzelfde mijnenveld terugvoeren: mooi zo, Job, dan kunnen we nu definitief een streep onder je verleden zetten en eindelijk aan ons leven samen beginnen.

'Zeg!' riep zijn vrouw gebelgd uit. Halsoverkop kwam ze het atelier binnenvallen. 'Waarom was jij vanavond niet aan tafel? Kook ik daar soms voor?'

'Ach meisje, ik moet de tijd vergeten zijn.'

'Zat je weer stiekem te zuipen?'

Hij hief zijn handen in een gebaar van onschuld.

Ze liet zich met een plof neer op de grond, met gekruiste benen. 'De hele avond heb ik dat gekibbel van die twee moeten aanhoren. En nou is Xandra kwaad naar huis, en Cas staat af te wassen.'

'Ze zijn nog jong. Het waait wel weer over.'

Met een ruk hief ze haar hoofd. 'Ik ben ook nog jong. En ik wil je antwoord nu. Gaan we samen verder, of zitten we hier over tien jaar nog met Maria?'

'Daar hebben we het al over gehad.'

'Je hebt mij nu als model, en het huishouden doe ik ook allang. En dat werd trouwens hoog tijd, na al die jaren waarin jij Maria voor alles hebt laten opdraaien. Soms denk ik dat je haar gewoon geen eigen leven gunt.'

'Nou dat weer.'

Ze nam hem zwijgend op. Toen zei ze langzaam: 'Die geschiedenis met die vrijer van haar kwam destijds mooi in jouw kraam te pas, hè?'

'Hou je buiten Maria's privézaken,' viel hij uit. 'Die geschiedenis was pijnlijk genoeg. Iedereen kon op zijn tien vingers natellen dat die ongelikte beer nooit van plan was de rest van zijn leven met een invalide opgescheept te zitten. Het was een drama.' In een poging zijn kalmte te hervinden legde hij de handen plat op het tafelblad. Zijn trouwring blonk mat in het lamplicht.

'Je zegt het zelf,' zei Felicity fel, 'iedereen kon het op zijn vingers natellen. Jij dus ook. Je wist dat het niks zou worden, en toch heb je die knul zijn gang laten gaan.'

'Zulke dingen kun je niet verbieden.'

'Nee, want dan was ze misschien weggelopen. En jij kon je niet veroorloven haar kwijt te raken. Het ging net zo lekker met je *Maria's*. Dus heb jij gewoon toegekeken terwijl zij haar ongeluk tegemoetging. Dan zou ze haar lesje wel leren, en voortaan veilig thuisblijven, zoals een gehandicapte betaamt.'

'Wel verdomme! Mijn dochter was zwanger geschopt en ik heb haar geholpen.'

'Weleens van abortus gehoord? Dat was nou echt in

haar belang geweest. Maar dankzij dat kind waarvoor ze in haar eentje nooit zou kunnen zorgen, fysiek niet en financieel niet, wist jij tenminste zeker dat ze je niet in de steek zou laten.'

'Larie,' zei Job. 'Moest ik haar soms de kans op moederschap ontnemen, de enige kans die ze wellicht in haar hele leven zou krijgen?' Hij zette zich af in zijn draaistoel, wentelde een kwartslag en knipte de computer aan.

'O Job,' verzuchtte ze. 'Je hebt hoe dan ook God zitten spelen over haar leven. Maar heus, het is nog niet te laat om het goed te maken. Je hoeft haar alleen maar te laten gaan.'

Het scherm flikkerde, werd helder.

'Ik praat tegen je!'

'Ik ben aan het werk.' Hij klikte. *Godin IX* kwam in beeld.

'Luister je naar me of hoe zit het?'

'Trek je kleren uit en ga daar zitten. Nummer negen.'

Klaaglijk zei ze: 'En wat schieten we daarmee op?' Toch trok ze haar sweatshirt over haar hoofd en stroopte ze haar spijkerbroek naar beneden.

Een paar gezegende minuten lang bewoog hij de muis heen en weer alsof hij werkte. Er was geen ander geluid te horen dan het onvermoeibare gieren van de wind. Maar in zijn ooghoek lichtte Maria's slaapkamerraam op en hij wist zich de duivel op de hielen.

Felicity trommelde met haar vingers op de vloer, bewoog kleumerig haar lange, welgevormde benen. Haar tepels waren groot en stijf.

Als een knipmes kwam zijn penis in zijn broek omhoog. Hij keek weer naar het scherm.

'Job? Ik krijg het zo koud. Kom je even bij me?'

'Even dit afmaken.'

Ze ging overeind zitten. Treurig zei ze: 'Is dit nou echt wat jij je van een relatie voorstelt?'

'Ik kan je verzekeren dat ik me nooit iets van "een relatie" heb voorgesteld,' antwoordde hij, zijn ogen op de monitor gericht. Hij bewoog de cursor langs haar gladde dijen en schoof ze teder wijd uiteen. Op het scherm kriskrasten lijnen waaruit zijn beeltenis ontstond. Half door de knieën gezakt boog hij zich over haar verlangende lichaam heen, zijn geslacht geheven.

'Als ik niets voor je beteken, heb ik hier verder ook niets meer te zoeken,' zei ze kleintjes.

Zijn bezwete hand kwam los van de muis. Haar blik vermijdend zei hij: 'Oké, oké. Natuurlijk heb ik fouten gemaakt. Ik wilde Maria opvoeden tot een normaal mens, niet tot een piepende huilebalk vol zelfbeklag. Misschien heb ik haar er onvoldoende op voorbereid dat anderen haar wel als invalide zouden...'

'Maria! Daar gaan we weer, Maria voor en na!'

'Ik dacht dat we het over haar hadden.'

'En weet je wat nog het meest pathetische is? Niet zij is van jou afhankelijk, maar jij van haar, en dat heb je niet eens in de gaten!'

'Wat blaat je toch? Wie zit er hier voor me te poseren, Maria of jij?' Hij gaf een paar tikken op het toetsenbord en sloeg *Godin IX* in de oude staat op.

'Wie probeer je wat wijs te maken? Je zat vast met dat verdomde schilderij van je, en toen mocht ik even! Dit is louter een tussendoortje voor je. Vandaag of morgen ga je gewoon weer verder met je echte werk.'

Onbeheerst stond hij op, liep met grote stappen naar de schilderijen in de hoek, greep *Maria's wereld* en smeet het naar zijn vrouw. 'Ga je gang!' snauwde hij. 'Scheur het voor mijn part aan flarden.'

Geschrokken keek Felicity naar het doek op de

grond. Ze trok haar blote benen op en sloeg de armen om haar knieën.

'Of maakt het pas indruk op je als ik het zelf doe?' Blindelings tastte hij om zich heen naar een mes. Een pot met kwasten, door Fee bij wijze van artistiek ornament op tafel gezet, viel op de grond. 'Moet dit hier een atelier voorstellen?' brulde hij. 'Ik wil een beitel! Wat heb je met mijn gereedschap gedaan?'

Op handen en voeten week zijn vrouw achteruit.

Hij greep de nog halfvolle fles tequila die op de vensterbank stond en sloeg hem stuk tegen het tafelblad. De drank gutste langs zijn pols en verspreidde een doordringende geur. Met beide handen hief hij de gebroken fles.

'Niet doen!' gilde Felicity, nog verder achteruit krabbelend. De vuile vloer had sporen achtergelaten op haar naakte, trillende lichaam. 'Job! Wat bewijs je hier nou mee?'

Glasscherven knerpten onder zijn voeten terwijl hij naderbij trad. Wil je godverdomme dat ik je gelukkig maak of niet?

'Nee! Job!' schreeuwde zijn vrouw.

De telefoon rinkelde. En rinkelde opnieuw.

Tijdens de twee of drie seconden dat het duurde voordat hij dat alledaagse geluid had thuisgebracht, zag hij dat het linnen in de linkeronderhoek van *Maria's wereld* door de smak had losgelaten. Werktuiglijk boog hij zich voorover om het euvel te herstellen. Hij zag de dikke, eindeloos overgeschilderde details: Maria's losgewaaide haarstreng, het achter haar aanslepende machteloze been. En ineens wist hij wat er mis was met dat verdoemde doek.

Abrupt richtte hij zich op. Hij nam de telefoon aan.

'Ja, met mij,' zei Maria.

In een reflex keek hij, brandend van schaamte, omhoog naar haar raam. Maar haar gordijn was dicht, ze kon niet hebben gezien wat zich in het atelier afspeelde.

'Ik heb zo'n dorst,' zei ze schor.

'Ik kom er aan.'

Hij wierp de fles in de prullenbak onder de tafel. Met zijn voet schoof hij de glasscherven bij elkaar. 'Kijk uit dat je er niet in trapt,' zei hij tegen Felicity.

'Dat was Maria zeker,' zei ze gesmoord.

Na haar woorden viel er een geladen stilte. Even leek het alsof je de wereld krakend van vermoeidheid om haar eigen as kon horen wentelen. Pas nu miste Job het gebulder van de wind. De storm moest eindelijk zijn uitgewoed. Of was het een adempauze en verzamelde de natuur haar krachten voor de genadeslag?

Bezwerend zei hij: 'Zodra ik klaar ben met *Maria's wereld*, zal ik ...'

'Verrader.' Haar lippen waren wit en strak.

'Ik zweer het je. Ik zweer het op Claudia's graf.'

Ze draaide zich om. 'Claudia's graf!' zei ze tegen de muur. 'Claudia's graf bestaat niet eens meer.'

Met ingehouden adem wachtte Maria een ogenblik. Toen duwde ze zich, een hand tegen haar pijnlijke borstkas gedrukt, half uit haar bed overeind en tilde een punt van het gordijn op. Ze trok het weer helemaal open zodra ze zag dat haar vader het atelier had verlaten. In elkaar gedoken zat Felicity in een hoek tegen de muur, alsof ze haar naaktheid wilde verbergen. Ze huilde. Het kozijn van het verlichte venster omvatte haar troosteloze gestalte als de lijst van een schilderij.

Ja, nu is het jouw beurt, dacht Maria, je moest en zou zo nodig. Maar die gedachte schonk haar geen enkele vreugde. Misschien was het te laat voor leedvermaak, of misschien was ze zelf te vaak hulpeloos overgeleverd geweest aan onbeschaamde blikken.

Wat kon Felicity hebben gezegd dat Job haar te lijf had willen gaan? Als Maria zojuist niet toevallig naar buiten had gekeken... maar misschien bestond er geen toeval. Net wilde ze zich weer in bed laten terugzakken, toen ze de deur van het atelier zag opengaan. Met een fles wijn en drie glazen kwam haar zoon binnen. Hij keek verbaasd om zich heen: geen spoor van de gebruikelijke bedrijvigheid. Toen ontwaarde hij Felicity in haar hoekje. Haastig liep hij naar haar toe. Hij liet zich op zijn hurken zakken en legde een hand op haar knie.

Trek iets aan, dacht Maria, zich krampachtig aan de vensterbank vasthoudend.

Eerst kromp Felicity nog dieper ineen, de armen om haar borst geslagen, maar na enige ogenblikken begon ze met horten en stoten te praten terwijl ze langs haar ogen wreef. Aarzelend legde Cas een troostende arm om haar blote schouders. Met zijn andere hand streek hij het verwarde haar uit haar gezicht. Nu eens luisterde hij intens, dan weer leek hij tegenwerpingen te maken. Ten slotte liet hij Felicity los om de fles te openen en twee glazen wijn in te schenken.

Zij wierp het hare in één teug achterover, haar slanke hals gestrekt. Haar borsten wipten even op. Cas schonk haar glas opnieuw vol. Al pratend veegde hij met de rug van zijn hand het vuil van haar bovenarmen.

De huid van haar vaders vrouw deed Maria denken aan de binnenkant van oesterschelpen, zo blank en glanzend. Ze probeerde zich voor te stellen hoe Felicity aanvoelde, koel en jong, en onwillekeurig streek ze even over haar eigen arm, die dankzij het gebruik van haar kruk nog altijd stevig was. Met haar duim streelde ze langs de binnenkant van haar pols. Ze sloot haar ogen. De onvergetelijke magie van liefkozingen. Alle kennis over feromonen, klierafscheidingen en spiercontracties verklaarde niet wat er werkelijk gebeurde op het moment dat je alleen nog maar die ander kon zien, horen en ruiken. Wat je dan voelde, dat bleef iets dat van de goden gegeven was.

Misschien had je daarom een lichaam gekregen: om het bestaan van de goden niet te vergeten.

Ze opende haar ogen weer. Beneden zich, in de diepte, zag ze hoe haar zoon in het atelier met beide handen Felicity's betraande gezicht omvatte en haar langzaam en doelbewust naar zich toe trok.

'Hier is je thee,' zei Job in de deuropening. Hij zag er opgejaagd en verbeten uit. 'Wat dweil je daar nou in die vensterbank?' Hij keek om zich heen naar een plek om het dienblad neer te zetten.

'Ik wilde het gordijn dichtdoen,' stamelde Maria, zwetend van paniek.

'Had het dan ook niet opengedaan.'

Buiten zijn blikveld, achter het andere raam, boog zijn kleinzoon zich over zijn vrouw. Traag neigden ze naar elkaar toe, even onontkoombaar als hemellichamen waarvan de koers al sinds het begin der tijden vastligt. Alsof ze voor elkaar waren bestemd. Het scheen Maria toe dat de hele kosmos de adem inhield toen hun lippen elkaar raakten. Terwijl hij Felicity nog kuste, begon Cas zijn overhemd los te knopen.

Het gonsde in haar oren. En toch wist ze dat ze zoiets altijd al had verwacht. Want verdacht ze haar zoon, louter op grond van de wetten der erfelijkheid, niet al zijn leven lang van een talent voor trouweloosheid? Je zou zelfs kunnen zeggen dat die angst vanaf zijn geboorte haar verhouding met hem had bepaald en dat zij, wachtend op het moment waarop zijn vaders bloed zich in hem zou openbaren, nooit echt van hem had durven houden. Niet nog eens een gebroken hart.

'Moet je nou thee of niet?' vroeg Job ontstemd. Hij stond gebukt bij haar nachtkastje, waarop hij de bekers had neergezet.

Toen richtte hij zich op. 'Wat krijgen we nou?' riep hij uit.

Buiten klonk een dreigend geroffel. In luttele seconden zwol het aan tot een donderend geraas. Regen stortte onverhoeds neer als een gordijn. Het regende alsof het laatste Oordeel was losgebroken. Alsof de hemelen zelf waren opengescheurd. Het verlichte venster van het atelier verdween in een dampend waas.

Maria liet de vensterbank los en zakte terug in de kussens.

'Godallemachtig!' zei haar vader. 'Dat werd tijd! Als de goten het nu maar houden. Morgen is er in het hele land natuurlijk geen loodgieter te krijgen. Gelukkig dat ik altijd een beroep op Cas kan doen.'

Ze voelde een afgrijzen zó diep dat ze erin dreigde te verzuipen. 'Doe het gordijn dicht,' bracht ze uit. Ze dacht: hoe moet ik ooit vergeten dat ik dit heb gezien?

Hij reikte over het bed naar het gordijn. 'Ik ga meteen even kijken of Cas er nog is.'

Snel zei ze: 'Schenk eerst die thee eens voor me in.'

'Hoe lang beweerde die dokter dat dit zou gaan duren?'

'Zes weken.'

'Wat weet zo'n medicijnman nou helemaal? We halen er een fysiotherapeut bij die verstand heeft van ultrasone golven.'

'Dit heeft gewoon z'n tijd nodig.'

'We hebben geen tijd.' Hij drukte haar een beker thee

in de hand en ging op het voeteneinde zitten. 'We moeten aan het werk.'

'Vader,' zei Maria scherp. 'Ik poseer niet meer voor je.'

'Dat was maar tijdelijk, en het was een vruchtbare onderbreking, dus kom me nou niet aanzetten met gezanik en verwijten. Door afstand te nemen van *Maria's wereld* weet ik nu tenminste wat er mis mee is.' Zegevierend keek hij haar aan. De regen hamerde neer op het huis en hij moest zijn stem verheffen. 'Je houding! Je laat je hoofd hangen! Ik ga je vitaler neerzetten, krachtiger, kop omhoog, ik wil...'

'Ik ben geen verzameling ledematen die jij zus of zo kunt draperen. Ik kap ermee.'

'... ik wil laten zien dat het leven doorgaat. Zoals je er nu op dat doek bij ligt, lijk je een onbekwame larf!'

'Als het perfect moet wezen, neem je Felicity maar.'

'O, ga je haar weer afzeiken?' Zijn blik werd donker. 'Fee rost tenminste niet meteen als een dolle stier zonder rijbewijs rond als ik even geen tijd voor haar heb. Een paar weken werk ik niet met je en jij moet direct de wijde wereld in! Nou, je hebt gezien wat daar van komt!'

Maria zweeg.

'En verder geen gelul over haar.'

'Ik heb nog nooit een kwaad woord over haar gezegd!'

Hij boog zich naar haar over en bracht zijn gezicht vlak bij het hare. Overal in zijn uitgezakte huid waren kleine bloedvaatjes gesprongen. Onder zijn zware wenkbrauwen leken zijn oogleden zo droog en doorschijnend als crêpepapier. 'Fee en ik houden zielsveel van elkaar,' zei hij tartend, 'en ik duld het niet wanneer iemand haar zwart probeert te maken. Begrepen?'

Maria bevochtigde haar lippen. Maar wat moest ze zeggen?

'En wat je werk voor mij betreft,' vervolgde hij, 'daar ga je gewoon mee door. Jij maakt hier niet de dienst uit. Je doet wat ik je zeg. Dat is ook voor jou altijd het beste gebleken.'

Het was haar te moede alsof er met een klap een zwaar deksel over haar hart dichtsloeg en het nu voorgoed opgesloten zat in een donkere kist. Bevend bracht ze uit: 'Ik stop met poseren. Denk maar niet dat je me tegenhoudt. Ik kan gaan en staan waar ik wil.'

Haar vader stond op. Hij strengelde zijn vingers in elkaar en liet ze een voor een knakken. De regen was alweer aan het minderen, en elke droge knap van zijn botten was te horen. 'Welnee Maria,' zei hij op zijn gemak. 'Jij kunt nergens heen. Dat weet je best.'

Meteen zag ze zichzelf als kind aan zijn hand. Altijd de linker, omdat zij alleen haar rechterhand vrij had. Ze had aan zijn linkerhand gedacht als 'Maria's hand'. 'Niet met Maria's hand,' zei ze als hij daarmee de boodschappentas wilde optillen. Naast hem door het dorp lopend had ze geprobeerd net zulke grote stappen te nemen als hij. Hij had zijn pas nooit voor haar ingehouden. 'Doorlopen,' zei hij ongeduldig, 'je kunt het best. Je kunt alles wat je maar wilt.'

Zich half uit de kussens verheffend vroeg ze: 'Wat zei je daar?'

'Je hebt me heus wel verstaan,' zei hij. Zeker van zichzelf keek hij vanuit zijn machtige, verticale positie op haar neer, de handen in de zakken van het schapenwollen vest dat Felicity voor hem had gekocht.

Ze wilde hem verpulveren, die heerszuchtige bruut, hem zien kronkelen. Ze kon hem maken en breken. Als vanzelf vielen de duivelse woorden van haar lippen: 'Stil eens... hoor jij de regen nog?'

Hij hief zijn hoofd, afgeleid, luisterend. Toen strekte

hij zijn arm uit en trok het gordijn open.

In een reflex kneep ze haar ogen dicht.

Haar vader stond zo dicht naast haar dat ze zijn lichaamswarmte kon voelen. Ze rook zijn schrale oudemannenlucht, een mengsel van tabak, verdampte alcohol en urine. Het scheen haar toe dat ze zelfs het dreunen van zijn hart gewaarwerd in de stilte na de stortbui die door Cas en Felicity was ontketend.

Meteorologen zouden morgen op het nieuws melden dat het evenwicht in de atmosfeer eindelijk was hersteld. Ze zouden de gekste verklaringen aandragen.

Het laatste regenwater gorgelde bedaard door de goten. Onlogisch dacht ze: Felicity zal morgen de ramen moeten lappen, en ze zag haar al voor zich, energiek de ladder op klauterend met haar lange, sterke benen.

Haar vader wendde zich van het raam af en keek haar aan. Verbijstering en ongeloof hadden nieuwe, diepe lijnen in zijn gezicht geëtst en zijn blik was net zo leeg als het leven dat nu voor hem lag, alleen in het krakende huis, waar iedere plint en dorpel hem dagelijks zou herinneren aan wie hij had bemind en verloren.

Buiten klonk het nadruppelen van talloze beekjes en stroompjes. Een ander geluid was niet te horen, alsof alle leven van het aangezicht der aarde was weggevaagd en alleen zij tweeën, in deze kleine kamer waarin Maria haar hele leven had doorgebracht, gespaard waren gebleven: de enige overlevenden na de zondvloed in een wereld die nooit meer dezelfde zou zijn. Volgens het oude verhaal had de Schepper na het water Noach tenminste nog een regenboog gezonden, als teken van erbarmen en genade. Maria boog haar hoofd. Toen keek ze naar haar vader. Hoe zou zij hem nu ook nog in de steek kunnen laten? Ze zou er voor hem moeten zijn, zoals hij er altijd voor haar was geweest.

Ze zou blijven. Als hij het haar tenminste vroeg. Als hij zou zeggen dat hij haar nodig had. Als hij haar eindelijk zijn waardering zou laten blijken. Misschien zelfs zijn liefde.

Op dat moment ruiste de regen met hernieuwde kracht neer. Het regende alsof er nooit meer een einde aan zou komen, alsof de sluier van water nooit meer zou worden opgelicht. Terwijl Job zich als een drenkeling neerliet op het bed, wist ze dat hij inwendig kermde. Ze wist het precies. Ze kende elke fase van de pijn.

Ze tastte naar zijn linkerhand, Maria's hand. 'Ach vader,' zei ze, 'het is niet het einde van de wereld. Dat is het nooit.'

NOOT VAN DE AUTEUR

Ofschoon alle in dit boek beschreven personen en situaties producten van de verbeelding zijn, is het schilderij *Maria's wereld* ontleend aan de werkelijkheid: *Christina's world* van de Amerikaanse schilder Andrew Wyeth (Tempera; Museum of Modern Art, New York) stond er model voor.

Ik ben Jos Looman dank verschuldigd voor het feit dat hij me liet kennismaken met het werk van Wyeth.

Van Renate Dorrestein zijn verschenen

Buitenstaanders
Vreemde streken
Noorderzon
Een nacht om te vliegeren
Het perpetuum mobile van de liefde
Voor alles een dame
Het Hemelse Gerecht
Korte metten
Ontaarde moeders
Heden ik
Een sterke man
Verborgen gebreken
Aforismen